Vergil · Aeneis

P. Vergilius Maro

Aeneis

1. und 2. Buch

Lateinisch / Deutsch

Mit 23 Abbildungen

Übersetzt und herausgegeben
von Edith und Gerhard Binder

Philipp Reclam jun. Stuttgart

Diese Ausgabe ist Teil einer Gesamtübersetzung der
Aeneis, die in sechs Bändchen zu je zwei Büchern
erscheint.

RECLAMS UNIVERSAL-BIBLIOTHEK Nr. 9680
Alle Rechte vorbehalten
© 1994 Philipp Reclam jun. GmbH & Co., Stuttgart
Bibliographisch ergänzte Ausgabe 2005
Gesamtherstellung: Reclam, Ditzingen. Printed in Germany 2005
RECLAM, UNIVERSAL-BIBLIOTHEK und
RECLAMS UNIVERSAL-BIBLIOTHEK sind eingetragene Marken
der Philipp Reclam jun. GmbH & Co., Stuttgart
ISBN 3-15-009680-4

www.reclam.de

Inhalt

P. Vergili Maronis

Aeneidos

Liber I

Arma virumque cano, Troiae qui primus ab oris
Italiam fato profugus Laviniaque venit
litora, multum ille et terris iactatus et alto
vi superum, saevae memorem Iunonis ob iram,
multa quoque et bello passus, dum conderet urbem   5
inferretque deos Latio; genus unde Latinum
Albanique patres atque altae moenia Romae.
Musa, mihi causas memora, quo numine laeso
quidve dolens regina deum tot volvere casus
insignem pietate virum, tot adire labores   10
impulerit.   tantaene animis caelestibus irae?
  Urbs antiqua fuit (Tyrii tenuere coloni)
Karthago, Italiam contra Tiberinaque longe
ostia, dives opum studiisque asperrima belli,
quam Iuno fertur terris magis omnibus unam   15
posthabita coluisse Samo.   hic illius arma,
hic currus fuit; hoc regnum dea gentibus esse,
si qua fata sinant, iam tum tenditque fovetque.
progeniem sed enim Troiano a sanguine duci
audierat Tyrias olim quae verteret arces;   20
hinc populum late regem belloque superbum
venturum excidio Libyae; sic volvere Parcas.
id metuens veterisque memor Saturnia belli,

P. Vergilius Maro

Aeneis

1. Buch

Von Krieg singe ich und dem Helden, der als erster von
Troias Küste durch Schicksalsspruch, ein Flüchtling, nach
Italien kam und zum Gestade Laviniums, von dem, der
weithin über Länder und Meere getrieben wurde durch der
Götter Gewalt wegen des unversöhnlichen Zorns der grausamen Iuno und auch viel durch Krieg erlitt, bis er endlich
seine Stadt gründen [5] und seine Götter nach Latium bringen konnte; daraus gingen hervor das Latinergeschlecht, die
Väter von Alba und die Mauern des hochragenden Rom.
Muse, berichte mir von den Beweggründen: Welches göttliche Wollen war verletzt, was schmerzte die Königin der
Götter, daß sie den Helden, ein Vorbild an Ehrfurcht, dazu
trieb, so viel Unglück zu bestehen, so viele Mühen auf sich
zu nehmen. [10] Sind denn die Herzen der Himmlischen fähig zu solch gewaltigen Regungen des Zorns?

Es war einmal eine alte Stadt, von tyrischen Siedlern be-
wohnt, Karthago, Italien gegenüber und der Tibermündung
in weiter Ferne, reich an Schätzen und überaus grimmig in
ihrem Kriegseifer. Sie, so heißt es, habe Iuno allein vor allen
Ländern geliebt, [15] sie sogar Samos vorgezogen; hier lagen
ihre Waffen, hier stand ihr Wagen; daß von hier die Völker
beherrscht würden, wenn das Fatum es irgend zuließe, war
schon damals Sinnen und Trachten der Göttin. Doch sie
hatte gehört, es entstehe ein Geschlecht aus troianischem
Blut, dazu bestimmt, einst die tyrische Burg zu stürzen; [20]
von dort werde ein Volk kommen, weithin herrschend und
stolz im Krieg, Libyen zum Untergang: So drehten den Fa-
den die Parzen. Dies fürchtete die Tochter Saturns und gedachte des vergangenen Krieges, den sie allen voran bei

Zu 1,12–28

Zu 1,50–156

prima quod ad Troiam pro caris gesserat Argis –
necdum etiam causae irarum saevique dolores   25
exciderant animo; manet alta mente repostum
iudicium Paridis spretaeque iniuria formae
et genus invisum et rapti Ganymedis honores:
his accensa super iactatos aequore toto
Troas, reliquias Danaum atque immitis Achilli,   30
arcebat longe Latio, multosque per annos
errabant acti fatis maria omnia circum.
tantae molis erat Romanam condere gentem.

   Vix e conspectu Siculae telluris in altum
vela dabant laeti et spumas salis aere ruebant,   35
cum Iuno aeternum servans sub pectore vulnus
haec secum: 'mene incepto desistere victam
nec posse Italia Teucrorum avertere regem!
quippe vetor fatis.   Pallasne exurere classem
Argivum atque ipsos potuit summergere ponto   40
unius ob noxam et furias Aiacis Oilei?
ipsa Iovis rapidum iaculata et nubibus ignem
disiecitque rates evertitque aequora ventis,
illum exspirantem transfixo pectore flammas
turbine corripuit scopuloque infixit acuto;   45
ast ego, quae divum incedo regina Iovisque
et soror et coniunx, una cum gente tot annos
bella gero.   et quisquam numen Iunonis adorat
praeterea aut supplex aris imponet honorem?'

   Talia flammato secum dea corde volutans   50
nimborum in patriam, loca feta furentibus Austris,
Aeoliam venit.   hic vasto rex Aeolus antro
luctantis ventos tempestatesque sonoras
imperio premit ac vinclis et carcere frenat.

Troia für das ihr teure Argos geführt hatte, auch waren die
Ursachen ihrer Erbitterung und die grausame Kränkung [25]
noch nicht aus ihrem Herzen gewichen; tief in ihrem Gedächtnis haftete das Urteil des Paris, die beleidigende Ver-
achtung ihrer Schönheit, das verhaßte Geschlecht, der Raub
und die Auszeichnung des Ganymedes; in ihrem Zorn darüber hielt sie die über das ganze Meer verschlagenen Troer,
die von den Danaern und dem grausamen Achilles verschont geblieben, [30] fernab von Latium. Und viele Jahre
lang irrten sie, vom Fatum getrieben, auf allen Meeren umher. So viel Mühe kostete es, das Römervolk zu begründen.

Kaum fuhren sie, Sizilien aus den Augen verlierend, frohgestimmt aufs Meer hinaus und durchpflügten den Gischt
der Salzflut mit erzbeschlagenem Bug, [35] da sprach Iuno
dies bei sich, die ewig offene Wunde tief im Herzen näh-
rend: »Soll ich, geschlagen, von meinem Vorhaben ablassen
und den König der Teucrer nicht von Italien fernhalten
können? Freilich, die Fata verbieten's mir. Konnte nicht
Pallas die Flotte der Argiver durch Feuer vernichten und
ihre Mannschaft im Meer versenken, [40] um so zu strafen
Schuld und Rasen einzig des Aiax, Oileus' Sohn? Sie selbst
schleuderte den sengenden Feuerstrahl Iuppiters aus den
Wolken, zerschmetterte die Schiffe und wühlte das Meer im
Sturm auf, und ihn, der aus durchbohrter Brust Flammen
spie, packte sie in einem Wirbel und spießte ihn auf eine
spitze Klippe. [45] Doch ich, die ich als Königin der Götter
einhergehe, als Iuppiters Schwester und Gattin, führe mit
einem einzigen Volk so viele Jahre Krieg. Und ist da noch
einer, der Iunos Gottheit anbetet oder hinfort demütig Op-
fergaben auf ihre Altäre legen wird?«

Während sie solches in ihrem entflammten Herzen bewegt, [50] kommt die Göttin in die Heimat der Stürme, eine
Gegend reich an tobenden Südwinden, nach Aeolien. Hier
hält König Aeolus in einer riesigen Höhle die widerspensti-
gen Winde und tosenden Unwetter mit Macht nieder und
bändigt sie mit Ketten und Riegeln. Sie aber lassen empört

illi indignantes magno cum murmure montis   55
circum claustra fremunt; celsa sedet Aeolus arce
sceptra tenens mollitque animos et temperat iras.
ni faciat, maria ac terras caelumque profundum
quippe ferant rapidi secum verrantque per auras;
sed pater omnipotens speluncis abdidit atris   60
hoc metuens molemque et montis insuper altos
imposuit, regemque dedit qui foedere certo
et premere et laxas sciret dare iussus habenas.
ad quem tum Iuno supplex his vocibus usa est: 64
    'Aeole (namque tibi divum pater atque hominum rex
et mulcere dedit fluctus et tollere vento),
gens inimica mihi Tyrrhenum navigat aequor
Ilium in Italiam portans victosque penatis:
incute vim ventis submersasque obrue puppis,
aut age diversos et dissice corpora ponto.   70
sunt mihi bis septem praestanti corpore Nymphae,
quarum quae forma pulcherrima Deiopea,
conubio iungam stabili propriamque dicabo,
omnis ut tecum meritis pro talibus annos
exigat et pulchra faciat te prole parentem.'   75
    Aeolus haec contra: 'tuus, o regina, quid optes
explorare labor; mihi iussa capessere fas est.
tu mihi quodcumque hoc regni, tu sceptra Iovemque
concilias, tu das epulis accumbere divum
nimborumque facis tempestatumque potentem.'   80
    Haec ubi dicta, cavum conversa cuspide montem
impulit in latus; ac venti velut agmine facto,
qua data porta, ruunt et terras turbine perflant.
incubuere mari totumque a sedibus imis
una Eurusque Notusque ruunt creberque procellis   85

unter lautem Brausen des Berges [55] die Wände ringsum er-
dröhnen. Hoch oben sitzt Aeolus auf der Festung, in der
Hand das Szepter, besänftigt den Unmut und beschwichtigt
den Zorn. Täte er es nicht, Meere, Länder und den hohen
Himmel rissen sie mit sich fort und wirbelten sie durch die
Lüfte. Doch der allmächtige Vater sperrte, dies befürchtend,
sie in dunkle Höhlen, [60] türmte Steinmassen und hohe
Berge darüber und gab ihnen einen König, der nach fester
Abmachung verständig die Zügel auf Geheiß anziehen oder
lockerlassen sollte. An ihn wandte sich nun Iuno flehend
mit folgenden Worten:

»Aeolus, dir hat doch der Vater der Götter und König
der Menschen [65] die Macht gegeben, die Wogen zu besänftigen und durch den Wind aufzutürmen – ein mir feindliches Volk befährt das Tyrrhenische Meer, bringt Ilium nach
Italien und die besiegten Penaten: Verleihe den Winden
Kraft und versenke die Schiffe spurlos im Meer oder treibe
die Männer hierhin und dorthin und zerstreue ihre Leiber
übers Wasser. [70] Ich habe zweimal sieben Nymphen von
vortrefflichem Wuchs; von ihnen hat die schönste Gestalt
Deiopea: Sie will ich dir in dauernder Ehe verbinden und zu
eigen geben, auf daß sie für solche Verdienste all ihre Jahre
mit dir verbringe und dich zum Vater trefflicher Nachkommen mache.« [75]

Aeolus erwidert so: »Deine Sache, Königin, ist es heraus-
zufinden, was du wünschst, mir ist geboten, deine Befehle
auszuführen. Du verschaffst mir all meine Herrschaft hier,
du gibst mir das Szepter und gewinnst Iuppiter für mich; du
läßt mich am Mahl der Götter teilhaben und gibst mir die
Macht über Stürme und Wetter.« [80]

Nach diesen Worten stößt er mit umgedrehter Lanze das
hohle Gebirge in die Flanke, und die Winde stürzen, einem
Heereszug gleich, aus dem geöffneten Tor und wehen im
Wirbel durch die Lande. Sie brechen übers Meer herein, und
ganz wühlen es auf aus seinen tiefsten Tiefen der Eurus
samt dem Notus und dem an Stürmen reichen [85] Africus:

Africus, et vastos volvunt ad litora fluctus.
insequitur clamorque virum stridorque rudentum;
eripiunt subito nubes caelumque diemque
Teucrorum ex oculis; ponto nox incubat atra;
intonuere poli et crebris micat ignibus aether   90
praesentemque viris intentant omnia mortem.
extemplo Aeneae solvuntur frigore membra;
ingemit et duplicis tendens ad sidera palmas
talia voce refert: 'o terque quaterque beati,
quis ante ora patrum Troiae sub moenibus altis   95
contigit oppetere!   o Danaum fortissime gentis
Tydide!   mene Iliacis occumbere campis
non potuisse tuaque animam hanc effundere dextra,
saevus ubi Aeacidae telo iacet Hector, ubi ingens
Sarpedon, ubi tot Simois correpta sub undis   100
scuta virum galeasque et fortia corpora volvit!'
    Talia iactanti stridens Aquilone procella
velum adversa ferit, fluctusque ad sidera tollit.
franguntur remi, tum prora avertit et undis
dat latus, insequitur cumulo praeruptus aquae mons.   105
hi summo in fluctu pendent; his unda dehiscens
terram inter fluctus aperit, furit aestus harenis.
tris Notus abreptas in saxa latentia torquet
(saxa vocant Itali mediis quae in fluctibus Aras,
dorsum immane mari summo), tris Eurus ab alto   110
in brevia et syrtis urget, miserabile visu,
inliditque vadis atque aggere cingit harenae.
unam, quae Lycios fidumque vehebat Oronten,
ipsius ante oculos ingens a vertice pontus
in puppim ferit: excutitur pronusque magister   115

Unermeßliche Fluten wälzen sie an die Gestade. Unmittelbar darauf folgt das Angstgeschrei der Männer und das Ächzen der Schiffstaue; plötzlich entziehen Wolken Himmel und Tageslicht den Augen der Teucrer: Über dem Meer lagert dunkle Nacht; die Pole erdröhnen, von vielfachen Blitzen flammt der Äther, [90] und in allem droht den Männern die Gegenwart des Todes. Augenblicklich lähmt kaltes Entsetzen Aeneas die Glieder; tief seufzt er, hebt beide Hände auf zu den Sternen und spricht die folgenden Worte: »O drei- und viermal Glückliche, denen es vergönnt war, im Angesicht der Väter unter den hohen Mauern Troias [95] den Tod zu finden! Du tapferster des Danaervolkes, Tydeus' Sohn! Warum konnte ich nicht in der Ebene von Ilium sterben und durch deine Hand mein Leben aushauchen, wo der grimmige Hector liegt, getroffen von dem Geschoß des Aeaciden, wo der gewaltige Sarpedon fiel, wo der Simois so viele Schilde und Helme von Kriegern in seine Wellen gerissen, [100] so viele Heldenleiber mit sich gewälzt!«

Während er solches hervorstößt, packt ein tosender Nordwind das Segel von vorn und türmt die Wogen bis zu den Sternen. Ruder brechen, dann dreht der Bug ab und bietet den Wellen die Seite; jäh ergießt sich in vollem Schwall ein Berg von Wasser. [105] Die einen hängen hoch oben in der Flut, den andern tut sich eine Welle auf und läßt zwischen den Wassermassen den Meeresboden sehen, die Brandung wütet im Küstensand. Drei Schiffe reißt der Notus fort und schleudert sie auf verborgene Felsen (diese Felsen mitten im Meer nennen die Italer Altäre, ungeheure Riffe knapp unter dem Wasserspiegel), drei treibt der Eurus vom hohen Meer [110] auf flache Sandbänke, ein erbärmlicher Anblick, läßt sie auf Grund laufen und umgibt sie mit einem Wall von Sand. Bei einem, das die Lykier und die treuen Orontes trug, schlägt direkt vor Aeneas' Augen eine riesige Flutwelle von oben herab aufs Achterdeck: Der Steuermann wird über Bord geschleudert [115] und stürzt kopfüber in die

volvitur in caput, ast illam ter fluctus ibidem
torquet agens circum et rapidus vorat aequore vertex.
apparent rari nantes in gurgite vasto,
arma virum tabulaeque et Troia gaza per undas.
iam validam Ilionei navem, iam fortis Achatae,   120
et qua vectus Abas, et qua grandaevus Aletes,
vicit hiems; laxis laterum compagibus omnes
accipiunt inimicum imbrem rimisque fatiscunt.
    Interea magno misceri murmure pontum
emissamque hiemem sensit Neptunus et imis   125
stagna refusa vadis, graviter commotus, et alto
prospiciens summa placidum caput extulit unda.
disiectam Aeneae toto videt aequore classem,
fluctibus oppressos Troas caelique ruina;
nec latuere doli fratrem Iunonis et irae.   130
Eurum ad se Zephyrumque vocat, dehinc talia fatur:
    'Tantane vos generis tenuit fiducia vestri?
iam caelum terramque meo sine numine, venti,
miscere et tantas audetis tollere moles?
quos ego – sed motos praestat componere fluctus.   135
post mihi non simili poena commissa luetis.
maturate fugam regique haec dicite vestro:
non illi imperium pelagi saevumque tridentem,
sed mihi sorte datum.   tenet ille immania saxa,
vestras, Eure, domos; illa se iactet in aula   140
Aeolus et clauso ventorum carcere regnet.'
    Sic ait, et dicto citius tumida aequora placat
collectasque fugat nubes solemque reducit.
Cymothoe simul et Triton adnixus acuto

Tiefe; das Schiff aber läßt die Flut herumwirbeln und dreimal auf der Stelle kreisen, und ein reißender Strudel ver-
schlingt es im Meer. Vereinzelt sind Schwimmer in der Was-
serwüste zu sehen, Waffen der Helden, Planken, Schätze
Troias, über die Wellen verstreut. Nun überwältigte der
Sturm das mächtige Schiff des Ilioneus, nun das des tapferen
Achates [120] und die Schiffe, auf denen Abas und der be-
tagte Aletes fuhren: Nachdem die seitlichen Fugen undicht
geworden, dringt das feindliche Meerwasser in alle Schiffe
ein und läßt sie bersten.

Inzwischen bemerkte Neptunus, daß das Meer unter lautem Tosen in Aufruhr geriet und ein Sturm entfesselt war,
daß vom tiefsten [125] Grund Wasser nach oben gedrückt
worden waren; der Gott war heftig erregt, und aufs Meer
hinaus schauend erhob er sein friedliches Haupt über die
Wellen. Zerstreut über die ganze Meer sah er Aeneas'
Flotte, die Troer durch Fluten und Unwetter in höchster
Not, und nicht blieben dem Bruder verborgen List und
Zorn der Iuno. [130] Eurus und Zephyrus ruft er zu sich,
dann spricht er die folgenden Worte:

»Hat euch so starkes Vertrauen in eure Abkunft bestimmt? Wagt ihr es schon, ihr Winde, Himmel und Erde
ohne meinen Willen in Aufruhr zu bringen und so hohe
Wassermassen aufzutürmen? Euch sollte ich – doch wichtiger ist es, die aufgewühlten Wogen zu beruhigen. [135] In
Zukunft werdet ihr mir solchen Frevel ganz anders büßen.
Verschwindet schleunigst und sagt dies eurem König: Nicht
ihm ist die Herrschaft über das Meer und der grimmige
Dreizack, sondern mir durchs Los zugefallen. Er hält in seiner Macht gewaltige Felsen, euer Zuhause, Eurus; in dem
Palast mag Aeolus großtun [140] und, wenn die Winde hin-
ter Schloß und Riegel sind, König sein!«

So spricht er. Und ehe er es gesagt, glättet er das auf-
brausende Meer, vertreibt die zusammengeballten Wolken
und bringt die Sonne zurück. Vereint stoßen Cymothoë
und Triton unter Anstrengung die Schiffe von der spitzen

detrudunt navis scopulo; levat ipse tridenti   145
et vastas aperit syrtis et temperat aequor
atque rotis summas levibus perlabitur undas.
ac veluti magno in populo cum saepe coorta est
seditio saevitque animis ignobile vulgus
iamque faces et saxa volant, furor arma ministrat;   150
tum, pietate gravem ac meritis si forte virum quem
conspexere, silent arrectisque auribus astant;
ille regit dictis animos et pectora mulcet:
sic cunctus pelagi cecidit fragor, aequora postquam
prospiciens genitor caeloque invectus aperto   155
flectit equos curruque volans dat lora secundo.

    Defessi Aeneadae quae proxima litora cursu
contendunt petere, et Libyae vertuntur ad oras.
est in secessu longo locus: insula portum
efficit obiectu laterum, quibus omnis ab alto   160
frangitur inque sinus scindit sese unda reductos.
hinc atque hinc vastae rupes geminique minantur
in caelum scopuli, quorum sub vertice late
aequora tuta silent; tum silvis scaena coruscis
desuper, horrentique atrum nemus imminet umbra.   165
fronte sub adversa scopulis pendentibus antrum;
intus aquae dulces vivoque sedilia saxo,
Nympharum domus. hic fessas non vincula navis
ulla tenent, unco non alligat ancora morsu.
huc septem Aeneas collectis navibus omni   170
ex numero subit, ac magno telluris amore
egressi optata potiuntur Troes harena
et sale tabentis artus in litore ponunt.

Klippe hinab; Neptunus selbst richtet sie mit seinem Dreizack auf, [145] bahnt einen Weg durch die öden Sandbänke,
besänftigt das Meer und gleitet mit leichtem Gefährt über
den Wasserspiegel. Und wie in einer großen Volksmenge,
wenn, was oft geschieht, ein Tumult ausgebrochen ist und
das einfache Volk in seinem Zorn tobt und schon Fackeln
und Steine fliegen, blinde Wut Waffen verschafft, [150] wie
sie dann, wenn sie zufällig einen Mann erblicken, der durch
Pflichtgefühl und Verdienste Ansehen besitzt, schweigen
und mit gespitzten Ohren dastehen, der aber mit seinen
Worten die Gemüter lenkt und die Herzen besänftigt: So
legte sich ganz und gar das Tosen des Meeres von dem Augenblick an, da der Vater Neptunus über die Wasser schaute
und bei klarem Himmel [155] seine Fahrt begann, nun, da er
die Rosse lenkte, die Zügel schießen ließ und auf raschem
Wagen dahinflog.

Erschöpft bemühen sich die Aeneaden in eiliger Fahrt, das
nächstliegende Gestade zu erreichen, und steuern auf Libyens Küste zu. In tiefer Bucht liegt ein Ort: Da bildet eine Insel einen Hafen durch das Vorspringen ihrer seitlichen Ufer,
an denen sich vom Meer her [160] jede Welle bricht und in
landeinwärts gelegene Buchten zerteilt. Links und rechts ragen drohend öde Felsen und eine zweifache Klippe in den
Himmel, unter deren Spitzen weithin ungefährliche Wasser
schweigen; darüber liegt dann, von schimmerndem Wald
eingefaßt, ein offener Platz, und ein finsteres Gehölz droht
mit düsterem Schatten. [165] Gegenüber sieht man unter
überhängendem Felsen eine Höhle, drinnen süßes Wasser
und Sitze von gewachsenem Stein, Wohnung der Nymphen.
Hier halten keine Taue die mitgenommenen Schiffe, kein
Anker krallt sie fest mit gekrümmtem Zahn. Hierhin fährt
Aeneas mit sieben Schiffen, [170] die er von der gesamten
Flotte gerettet, und in ihrem großen Verlangen nach festem
Boden erreichen die Troer nach ihrer Landung den ersehn-
ten Sand und strecken die vom Salzwasser nassen Glieder
auf dem Strand aus. Zunächst schlägt Achates aus einem

ac primum silici scintillam excudit Achates
succepitque ignem foliis atque arida circum   175
nutrimenta dedit rapuitque in fomite flammam.
tum Cererem corruptam undis Cerealiaque arma
expediunt fessi rerum, frugesque receptas
et torrere parant flammis et frangere saxo.
      Aeneas scopulum interea conscendit, et omnem   180
prospectum late pelago petit, Anthea si quem
iactatum vento videat Phrygiasque biremis
aut Capyn aut celsis in puppibus arma Caici.
navem in conspectu nullam, tris litore cervos
prospicit errantis; hos tota armenta sequuntur   185
a tergo et longum per vallis pascitur agmen.
constitit hic arcumque manu celerisque sagittas
corripuit fidus quae tela gerebat Achates,
ductoresque ipsos primum capita alta ferentis
cornibus arboreis sternit, tum vulgus et omnem   190
miscet agens telis nemora inter frondea turbam;
nec prius absistit quam septem ingentia victor
corpora fundat humi et numerum cum navibus aequet;
hinc portum petit et socios partitur in omnis.
vina bonus quae deinde cadis onerarat Acestes   195
litore Trinacrio dederatque abeuntibus heros
dividit, et dictis maerentia pectora mulcet:
      'O socii (neque enim ignari sumus ante malorum),
o passi graviora, dabit deus his quoque finem.
vos et Scyllaeam rabiem penitusque sonantis   200
accestis scopulos, vos et Cyclopia saxa
experti: revocate animos maestumque timorem
mittite; forsan et haec olim meminisse iuvabit.
per varios casus, per tot discrimina rerum

Kiesel den Funken, fängt das Feuer mit Laub auf, gibt ihm ringsum trockene [175] Nahrung und läßt rasch im Reisig die Flamme auflodern. Darauf schaffen die Männer das durchs Wasser verdorbene Getreide und die Geräte der Ceres zum Backen herbei, erschöpft von den Ereignissen, und schicken sich an, die geretteten Körner zu rösten und auf Steinen zu mahlen.

Aeneas steigt inzwischen auf den Felsen und versucht einen umfassenden [180] Blick weit auf das Meer zu gewinnen, ob er Antheus vielleicht, vom Sturm verschlagen, sichten könne oder die phrygischen Zweiruderer oder Capys oder hoch am Heck die Waffen des Caicus. Kein Schiff ist in Sicht, nur drei Hirsche sieht er in der Ferne auf dem Strand umherstreifen; hinter ihnen her kommt das ganze Rudel, [185] und lang hingezogen äst die Herde in den Niederungen. Aeneas bleibt stehen, ergreift hastig den Bogen und die schnellen Pfeile, die beide gewöhnlich der treue Achates trug, streckt zuerst die Leittiere selbst, die den Kopf hoch tragen mit baumähnlichem Geweih, nieder, dann bringt er die Herde, das ganze [190] Rudel, durcheinander, indem er es mit Pfeilen durch belaubtes Gehölz jagt; und er läßt nicht ab, ehe er sieben starke Tiere siegreich zur Strecke gebracht, der Zahl der Schiffe entsprechend; hierauf eilt er zum Hafen und verteilt die Beute unter alle Gefährten. Den Wein, den der tapfere Acestes reichlich in Krüge gefüllt [195] am Gestade von Trinacria und ihnen beim Abschied geschenkt hatte, der Held, verteilte er dann und tröstete die Traurigen mit diesen Worten:

»Gefährten (wir sind ja aus früherer Zeit nicht unerfahren im Leid), ihr, die ihr schon Schweres erduldet habt, ein Gott wird auch diesem ein Ende setzen. Ihr seid der Wut der Scylla, den aus der Tiefe hallenden [200] Klippen nahegekommen, ihr habt auch die Felsen der Kyklopen kennengelernt: Faßt wieder Mut und laßt Niedergeschlagenheit und Angst fahren; vielleicht denken wir einst sogar daran gern zurück. Durch mancherlei Unglück, durch so viele ge-

tendimus in Latium, sedes ubi fata quietas 205
ostendunt; illic fas regna resurgere Troiae.
durate, et vosmet rebus servate secundis.'
  Talia voce refert curisque ingentibus aeger
spem vultu simulat, premit altum corde dolorem.
illi se praedae accingunt dapibusque futuris: 210
tergora diripiunt costis et viscera nudant;
pars in frusta secant veribusque trementia figunt,
litore aëna locant alii flammasque ministrant.
tum victu revocant viris, fusique per herbam
implentur veteris Bacchi pinguisque ferinae. 215
postquam exempta fames epulis mensaeque remotae,
amissos longo socios sermone requirunt,
spemque metumque inter dubii, seu vivere credant
sive extrema pati nec iam exaudire vocatos.
praecipue pius Aeneas nunc acris Oronti, 220
nunc Amyci casum gemit et crudelia secum
fata Lyci fortemque Gyan fortemque Cloanthum.
  Et iam finis erat, cum Iuppiter aethere summo
despiciens mare velivolum terrasque iacentis
litoraque et latos populos, sic vertice caeli 225
constitit et Libyae defixit lumina regnis.
atque illum talis iactantem pectore curas
tristior et lacrimis oculos suffusa nitentis
adloquitur Venus: 'o qui res hominumque deumque
aeternis regis imperiis et fulmine terres, 230
quid meus Aeneas in te committere tantum,
quid Troes potuere, quibus tot funera passis
cunctus ob Italiam terrarum clauditur orbis?
certe hinc Romanos olim volventibus annis,

fährliche Situationen streben wir nach Latium, wo die Fata friedliche Wohnsitze [205] verheißen; dort darf Troias Königsmacht wieder erstehen. Haltet durch und bewahrt euch für künftiges Glück.«

Solches spricht er und, obwohl von schweren Sorgen bedrückt, mimt er Hoffnung, verbirgt seinen Kummer tief im Herzen. Die Gefährten machen sich an die Beute und die Vorbereitung der Mahlzeit. [210] Sie ziehen das Fell von den Rippen der Tiere und legen das Fleisch bloß; die einen schneiden es in Stücke und stecken sie, noch zuckend, auf Spieße; andere stellen am Strand eherne Kessel auf und schüren das Feuer. Dann schöpfen sie aus dem Essen neue Kraft: Hingelagert ins Gras füllen sie sich den Bauch mit altem Wein und saftigem Wildbret. [215] Nachdem der Hunger durch die Mahlzeit gestillt und die Tafel aufgehoben ist, fragen sie in langen Gesprächen nach den verlorenen Gefährten, schwankend zwischen Hoffnung und Furcht; sollten sie glauben, daß diese noch leben, oder daß sie das Letzte durchleiden und ein Anrufen nicht mehr hören. Vor allem der fromme Aeneas beklagt seufzend bei sich bald das Unglück des feurigen Orontes, [220] bald das des Amycus und das grausame Geschick des Lycus, den tapferen Gyas und den tapferen Cloanthus.

Endlich verstummte das Klagen. Da blickte Iuppiter vom hohen Himmel auf das von Segeln belebte Meer, die dort unten liegenden Länder, Gestade und Völker weithin, hielt dann inne am höchsten Punkt des Himmels [225] und heftete seine Augen auf Libyens Reich. Ihn, der solche Sorgen im Herzen bewegt, spricht unerwartet traurig, die strahlenden Augen von Tränen getrübt, Venus an: »Der du die Geschicke der Menschen und Götter mit ewiger Macht lenkst und mit dem Blitzstrahl schreckst, [230] was konnten mein Sohn Aeneas, was die Troer so Schlimmes gegen dich begehen, denen jetzt, nachdem sie so viele Verluste an Leben erleiden mußten, Italiens wegen die ganze Welt verschlossen wird? Du hast doch fest versprochen, daß aus ihnen Römer

Zu 1,157–222

Zu 1,227–296

hinc fore ductores, revocato a sanguine Teucri, 235
qui mare, qui terras omnis dicione tenerent,
pollicitus – quae te, genitor, sententia vertit?
hoc equidem occasum Troiae tristisque ruinas
solabar fatis contraria fata rependens;
nunc eadem fortuna viros tot casibus actos 240
insequitur. quem das finem, rex magne, laborum?
Antenor potuit mediis elapsus Achivis
Illyricos penetrare sinus atque intima tutus
regna Liburnorum et fontem superare Timavi,
unde per ora novem vasto cum murmure montis 245
it mare proruptum et pelago premit arva sonanti.
hic tamen ille urbem Patavi sedesque locavit
Teucrorum et genti nomen dedit armaque fixit
Troia, nunc placida compostus pace quiescit:
nos, tua progenies, caeli quibus adnuis arcem, 250
navibus (infandum!) amissis unius ob iram
prodimur atque Italis longe disiungimur oris.
hic pietatis honos? sic nos in sceptra reponis?'
    Olli subridens hominum sator atque deorum
vultu, quo caelum tempestatesque serenat, 255
oscula libavit natae, dehinc talia fatur:
'parce metu, Cytherea, manent immota tuorum
fata tibi; cernes urbem et promissa Lavini
moenia, sublimemque feres ad sidera caeli
magnanimum Aenean; neque me sententia vertit. 260
hic tibi (fabor enim, quando haec te cura remordet,
longius, et volvens fatorum arcana movebo)
bellum ingens geret Italia populosque ferocis

einst im Laufe der Jahre, aus ihnen Herrscher werden sollten vom wiedererstandenen Geschlecht des Teucer, [235] um
über das Meer, um über die Welt zu gebieten. Welcher Gedanke, Vater, hat dich umgestimmt? Damit nämlich konnte
ich mich über den Untergang und die traurigen Ruinen Troias trösten, wenn ich gegen das Geschick der Vergangenheit
die gegenteiligen Verheißungen aufwog; nun aber verfolgt
dasselbe Schicksal die schon von so viel Unheil heimgesuch-
ten Männer. [240] Welches Ende setzt du, großer König, den
Qualen? Antenor konnte, nachdem er aus der Mitte der
Achiver entkommen, sicher zum illyrischen Golf und bis
tief ins Reich der Liburner gelangen, konnte das Quellge-
biet des Timavus überwinden, von wo dieser in neun Armen unter lautem Tosen des Berges [245] sich ergießt, ein
hervorbrechendes Meer, und die Fluren mit brausenden
Wogen überschwemmt. Hier aber gründete jener die Stadt
Patavium, Wohnsitz der Teucrer, gab dem Volk einen Namen; er hängte die Waffen aus Troia am heiligen Ort auf,
und nun genießt er in Ruhe den ungetrübten Frieden: Wir,
deine Nachkommen, denen du die Feste des Himmels ver-
heißt, [250] werden nach dem Verlust der Schiffe – wie ab-
scheulich – wegen des Zornes einer einzigen Gottheit preis-
gegeben und fernab von Italiens Küste gehalten. Ist das der
Lohn für fromme Gesinnung? Setzt du uns so wieder in die
Herrschaft ein?«

Ihr lächelt zu der Schöpfer der Menschen und Götter mit
der Miene, die Himmel und Wetter aufheitert, [255] küßt
zärtlich die Tochter, dann spricht er so zu ihr: »Hab keine
Angst, Cytherea, es bleiben dir unverändert die Fata der
Deinen; du wirst die Stadt Lavinium und ihre Mauern, wie
versprochen, erblicken und wirst hoch erheben zu den Gestirnen des Himmels den edlen Aeneas: Und kein Gedanke
hat mich umgestimmt. [260] Dein Sohn wird – ich will jetzt
ausführlicher sprechen, da diese Sorge sichtlich an dir nagt,
die Fata entrollen und ihre Geheimnisse enthüllen – in Italien einen gewaltigen Krieg führen, wilde Volksstämme ver-

contundet moresque viris et moenia ponet,
tertia dum Latio regnantem viderit aestas   265
ternaque transierint Rutulis hiberna subactis.
at puer Ascanius, cui nunc cognomen Iulo
additur (Ilus erat, dum res stetit Ilia regno),
triginta magnos volvendis mensibus orbis
imperio explebit, regnumque ab sede Lavini   270
transferet, et Longam multa vi muniet Albam.
hic iam ter centum totos regnabitur annos
gente sub Hectorea, donec regina sacerdos
Marte gravis geminam partu dabit Ilia prolem.
inde lupae fulvo nutricis tegmine laetus   275
Romulus excipiet gentem et Mavortia condet
moenia Romanosque suo de nomine dicet.
his ego nec metas rerum nec tempora pono:
imperium sine fine dedi.   quin aspera Iuno,
quae mare nunc terrasque metu caelumque fatigat,   280
consilia in melius referet, mecumque fovebit
Romanos, rerum dominos gentemque togatam.
sic placitum.   veniet lustris labentibus aetas
cum domus Assaraci Pthiam clarasque Mycenas
servitio premet ac victis dominabitur Argis.   285
nascetur pulchra Troianus origine Caesar,
imperium Oceano, famam qui terminet astris,
Iulius, a magno demissum nomen Iulo.
hunc tu olim caelo spoliis Orientis onustum
accipies secura; vocabitur hic quoque votis.   290
aspera tum positis mitescent saecula bellis:
cana Fides et Vesta, Remo cum fratre Quirinus
iura dabunt; dirae ferro et compagibus artis
claudentur Belli portae; Furor impius intus

nichten, den Menschen Satzungen und Mauern geben, bis
der dritte Sommer ihn in Latium hat regieren sehen [265]
und drei Winter über die Unterwerfung der Rutuler ins
Land gegangen sind. Doch der Knabe Ascanius, der jetzt
auch Iulus heißt (Ilus hieß er, solange Iliums Reich noch
mächtig war), wird im Wechsel der Monate dreißig lange
Jahre mit seiner Herrschaft ausfüllen, wird den Herrschaftssitz von Lavinium [270] wegverlegen und Alba Longa mit
großer Tatkraft als Festung erbauen. Hier wird dann volle
dreihundert Jahre Hectors Stamm regieren, bis die Königstochter und Priesterin Ilia, von Mars schwanger, Zwillinge
gebären wird. Darauf wird, strahlend im bräunlichen Fell
seiner Amme, der Wölfin, [275] Romulus den Stamm fort-
führen, die Stadt des Mars gründen und ihre Bewohner
nach seinem Namen Römer nennen. Ihnen setze ich Grenzen weder in Raum noch Zeit: Eine Herrschaft ohne Ende
habe ich ihnen zugedacht. Sogar die grimmige Iuno, die zur
Zeit Himmel, Erde und Meer in lähmende Angst versetzt,
[280] wird ihre Pläne zum Besseren wenden und zusammen
mit mir begünstigen die Römer, die Herren der Welt, das
Volk in der Toga. So ist es beschlossen. Im Lauf der Jahre
wird die Zeit kommen, da das Haus des Assaracus Pthia
und das berühmte Mykene unterjochen und über das besiegte Argos herrschen wird. [285] Zur Welt kommen wird
aus edlem Stamm Caesar, ein Troianer, der das Reich bis
zum Weltmeer, seinen Ruhm bis zu den Sternen ausdehnt,
ein Iulier, dessen Name vom großen Iulus hergeleitet ist.
Den wirst du dereinst im Himmel, beladen mit der Sieges-
beute des Orients, von Sorgen befreit, empfangen; auch ihn
wird man in Gebeten anrufen. [290] Grimmige Zeiten werden dann nach dem Ende der Kriege friedlich werden: Die
ehrwürdige Fides und Vesta, Quirinus mit seinem Bruder
Remus werden Recht schaffen; die grausigen Pforten des
Krieges sollen dann mit Klammern aus Eisen dicht verschlossen werden, der frevlerische Furor, drinnen auf grausamen Waffen sitzend und auf dem Rücken mit hundert

saeva sedens super arma et centum vinctus aënis   295
post tergum nodis fremet horridus ore cruento.'
    Haec ait et Maia genitum demittit ab alto,
ut terrae utque novae pateant Karthaginis arces
hospitio Teucris, ne fati nescia Dido
finibus arceret. volat ille per aëra magnum   300
remigio alarum ac Libyae citus astitit oris.
et iam iussa facit, ponuntque ferocia Poeni
corda volente deo; in primis regina quietum
accipit in Teucros animum mentemque benignam.
    At pius Aeneas per noctem plurima volvens,   305
ut primum lux alma data est, exire locosque
explorare novos, quas vento accesserit oras,
qui teneant (nam inculta videt), hominesne feraene,
quaerere constituit sociisque exacta referre.
classem in convexo nemorum sub rupe cavata   310
arboribus clausam circum atque horrentibus umbris
occulit; ipse uno graditur comitatus Achate
bina manu lato crispans hastilia ferro.
cui mater media sese tulit obvia silva
virginis os habitumque gerens et virginis arma   315
Spartanae, vel qualis equos Threissa fatigat
Harpalyce volucremque fuga praevertitur Hebrum.
namque umeris de more habilem suspenderat arcum
venatrix dederatque comam diffundere ventis,
nuda genu nodoque sinus collecta fluentis.   320
ac prior 'heus,' inquit, 'iuvenes, monstrate, mearum
vidistis si quam hic errantem forte sororum
succinctam pharetra et maculosae tegmine lyncis,
aut spumantis apri cursum clamore prementem.'

ehernen Knoten gefesselt, [295] wird grauenerregend brüllen
mit blutigem Maul.«

Nach diesen Worten schickt er (Iuppiter) den Sohn der
Maia vom Himmel herab, damit Land und Burg des neuen
Karthago den Teucrern gastlich offenstünden, besorgt,
Dido könnte ihnen in Unkenntnis des Fatums ihr Gebiet
verwehren. Der fliegt weit durch die Lüfte [300] mit dem
Ruder seiner Flügel, und schnell macht er halt an Libyens
Küste. Gleich führt er den Befehl aus: Die Punier besänfti-
gen ihre wilden Herzen, wie der Gott es wünscht; vor allem
die Königin empfängt eine friedliche Gesinnung und gütige
Gedanken für die Teucrer.

Doch der pflichtbewußte Aeneas wälzt die ganze Nacht
viele Gedanken. [305] Sobald der erfrischende Tag angebro-
chen, beschließt er, sich aufzumachen, die unbekannte Gegend zu erforschen, zu erkunden, an welcher Küste ihn der
Wind hat landen lassen, wer dort wohnt (denn er sieht nur
unbebautes Land), ob Menschen oder wilde Tiere, und
dann den Gefährten das Ergebnis mitzuteilen. In der Ein-
buchtung des Waldes, unter dem gewölbten Felsen, [310]
birgt er die Flotte, ringsum von Bäumen eingeschlossen und
düsteren Schatten; er selbst bricht auf, nur von Achates begleitet, in der Hand zwei breitschneidige Lanzen schwin-
gend. Ihm trat die Mutter mitten im Wald entgegen, in Gesicht und Gestalt einer Jungfrau gleich, mit den Waffen [315]
einer jungen Spartanerin oder wie die Thrakerin Harpalyce,
wenn sie die Pferde treibt und im Dahinjagen dem raschen
Lauf des Hebrus zuvorkommt. Denn sie hatte, wie es
Brauch war, den leichten Bogen über die Schulter gehängt,
eine Jägerin, ließ ihr Haar im Wind flattern, bloß war ihr
Knie und ihr fließendes Gewand in einem Knoten gerafft.
[320] Und sie begann zuerst: »Heda, ihr jungen Männer, sagt
mir, habt ihr zufällig eine meiner Schwestern hier umherstreifen sehen mit einem Köcher am Gürtel und im geflect-
ten Fell eines Luchses, oder wie sie mit Geschrei einem
schäumenden Keiler auf der Flucht hart zusetzte?«

Sic Venus et Veneris contra sic filius orsus: 325
'nulla tuarum audita mihi neque visa sororum,
o quam te memorem, virgo?   namque haud tibi vultus
mortalis, nec vox hominem sonat; o, dea certe
(an Phoebi soror?   an Nympharum sanguinis una?),
sis felix nostrumque leves, quaecumque, laborem   330
et quo sub caelo tandem, quibus orbis in oris
iactemur doceas: ignari hominumque locorumque
erramus vento huc vastis et fluctibus acti.
multa tibi ante aras nostra cadet hostia dextra.'

Tum Venus: 'haud equidem tali me dignor honore;   335
virginibus Tyriis mos est gestare pharetram
purpureoque alte suras vincire coturno.
Punica regna vides, Tyrios et Agenoris urbem;
sed fines Libyci, genus intractabile bello.
imperium Dido Tyria regit urbe profecta,   340
germanum fugiens.   longa est iniuria, longae
ambages; sed summa sequar fastigia rerum.
huic coniunx Sychaeus erat, ditissimus agri
Phoenicum, et magno miserae dilectus amore,
cui pater intactam dederat primisque iugarat   345
ominibus.   sed regna Tyri germanus habebat
Pygmalion, scelere ante alios immanior omnis.
quos inter medius venit furor.   ille Sychaeum
impius ante aras atque auri caecus amore
clam ferro incautum superat, securus amorum   350
germanae; factumque diu celavit et aegram
multa malus simulans vana spe lusit amantem.

So sprach Venus, und so erwiderte der Sohn der Venus:
[325] »Von keiner deiner Schwestern hörte oder sah ich etwas – wie soll ich dich denn nennen, Jungfrau? Denn du
trägst nicht die Züge einer Sterblichen, und deine Stimme
klingt nicht wie die eines Menschen. Ach, sicher bist du eine
Göttin, vielleicht die Schwester des Phoebus oder eine aus
dem Geschlecht der Nymphen? Sei uns gnädig und erleich-
tere, wer auch immer du seist, unsere Mühsal [330] und laß
uns wissen, unter welchem Himmel eigentlich, an welchen
Küsten des Erdkreises wir umhergestoßen werden: Ohne
Kenntnis von Menschen und Gegend irren wir umher, von
Sturm und unermeßlichen Fluten hierhin getrieben. So
manches Opfertier wird für dich durch meine Hand an deinen Altären fallen.«

Darauf Venus: »Ich halte mich solcher Ehre nicht würdig;
[335] die jungen Frauen aus Tyrus sind es gewohnt, einen
Köcher zu tragen und die Waden hoch hinauf im purpurnen
Kothurn zu schnüren. Das Königreich der Punier liegt vor
deinen Augen, Tyrierland und die Stadt des Agenor; aber
zugleich das Gebiet der Libyer, eines Stammes, unbeugsam
im Krieg. Die Herrschaft liegt in den Händen der Dido: Sie
verließ die Stadt Tyrus [340] auf der Flucht vor ihrem Bruder. Lang ist die Kette des Unrechts, lang ist die verwickelte
Geschichte; ich will nur deren wichtigste Punkte erwähnen.
Ihr Ehemann war Sychaeus, der reichste Landbesitzer der
Phöniker, von der Unglücklichen leidenschaftlich geliebt.
Ihm hatte der Vater sie unberührt gegeben, in erster Ehe
ihm verbunden. [345] Doch Herrscher in Tyrus war ihr Bruder Pygmalion, im Verbrechen unmenschlicher als jeder andere. Zwischen ihm und Sychaeus kam es zum Streit. Der
Gewissenlose tötete, geblendet von seiner Gier nach Gold,
den unbedachten Sychaeus vor dem Altar heimlich mit dem
Schwert, ohne sich um die Liebe [350] der Schwester zu
kümmern. Lang hielt der Böse seine Tat geheim und
täuschte das Leid der Liebenden unter vielerlei Vorspiege-
lungen mit vergeblicher Hoffnung. Doch erschien ihr im

ipsa sed in somnis inhumati venit imago
coniugis ora modis attollens pallida miris;
crudelis aras traiectaque pectora ferro   355
nudavit, caecumque domus scelus omne retexit.
tum celerare fugam patriaque excedere suadet
auxiliumque viae veteres tellure recludit
thesauros, ignotum argenti pondus et auri.
his commota fugam Dido sociosque parabat.   360
conveniunt quibus aut odium crudele tyranni
aut metus acer erat; navis, quae forte paratae,
corripiunt onerantque auro.   portantur avari
Pygmalionis opes pelago; dux femina facti.
devenere locos ubi nunc ingentia cernes   365
moenia surgentemque novae Karthaginis arcem,
mercatique solum, facti de nomine Byrsam,
taurino quantum possent circumdare tergo.
sed vos qui tandem?   quibus aut venistis ab oris?
quove tenetis iter?' quaerenti talibus ille   370
suspirans imoque trahens a pectore vocem:

   'O dea, si prima repetens ab origine pergam
et vacet annalis nostrorum audire laborum,
ante diem clauso componet Vesper Olympo.
nos Troia antiqua, si vestras forte per auris   375
Troiae nomen iit, diversa per aequora vectos
forte sua Libycis tempestas appulit oris.
sum pius Aeneas, raptos qui ex hoste penatis
classe veho mecum, fama super aethera notus;
Italiam quaero patriam, et genus ab Iove summo.   380
bis denis Phrygium conscendi navibus aequor,
matre dea monstrante viam data fata secutus;
vix septem convulsae undis Euroque supersunt.

Traum das Bild des unbestatteten Gatten: Seltsam erhob er
das bleiche Antlitz, enthüllte den grausigen Altar und die
vom Schwert durchbohrte Brust [355] und deckte so das
ganze finstere Verbrechen auf, das in seinem Haus geschehen. Dann riet er zu eiliger Flucht und zum Verlassen des
Vaterlandes; als Hilfe für unterwegs offenbarte er alte im
Erdreich verborgene Schätze, eine ungekannte Menge Silber
und Gold. Davon beeindruckt rüstete Dido zur Flucht und
sammelte Gefährten um sich. [360] Es strömten Menschen
zusammen, die tödlicher Haß auf den Tyrannen oder hef-
tige Furcht vor ihm umtrieb. Zufällig bereitliegender Schiffe
bemächtigen sie sich und beladen sie mit Gold. Der Reich-
tum des habgierigen Pygmalion wird übers Meer gebracht,
und eine Frau führt die Tat an. Sie kamen dahin, wo du jetzt
gewaltige Stadtmauern sehen kannst [365] und die empor-
wachsende Burg des neuen Karthago, und sie kauften Boden – Byrsa genannt nach dem Handel – so viel, wie sie mit
einer Stierhaut zu umspannen vermochten. Aber wer seid
ihr eigentlich, von welchen Küsten seid ihr gekommen und
wohin führt euer Weg?« Auf ihre Fragen antwortete Aeneas
[370] mit einem Seufzer, und seine Stimme drang aus der
Tiefe seiner Brust:

»Göttin, falls ich vom allerersten Anfang an berichte und
falls Zeit ist, die Geschichte unserer Leiden zu hören, wird
zuvor der Abendstern den Olymp schließen und damit den
Tag beenden. Wir sind vom alten Troia, wenn denn der
Name Troia dir zu Ohren gekommen, [375] quer über die
Meere gefahren, und ein Sturm hat uns in seiner Laune an
die libysche Küste getrieben. Ich bin der ehrfürchtige Aeneas; ich führe die dem Feind entrissenen Penaten auf meinem Schiff mit mir, mein Name ist in himmlischen Höhen
bekannt. Ich bin auf der Suche nach Italien, dem Land meiner Väter, und stamme vom allerhöchsten Iuppiter. [380] Mit
zweimal zehn Schiffen fuhr ich aufs Phrygische Meer hinaus, meine Mutter, die Göttin, wies mir den Weg, und ich
befolgte die vorgegebenen Fata; gerade sieben sind, leckge-

Zu 1,297–401

Zu 1,496–560

ipse ignotus, egens, Libyae deserta peragro,
Europa atque Asia pulsus.' nec plura querentem   385
passa Venus medio sic interfata dolore est:
    'Quisquis es, haud, credo, invisus caelestibus auras
vitalis carpis, Tyriam qui adveneris urbem;
perge modo atque hinc te reginae ad limina perfer.
namque tibi reduces socios classemque relatam   390
nuntio et in tutum versis Aquilonibus actam,
ni frustra augurium vani docuere parentes.
aspice bis senos laetantis agmine cycnos,
aetheria quos lapsa plaga Iovis ales aperto
turbabat caelo; nunc terras ordine longo   395
aut capere aut captas iam despectare videntur:
ut reduces illi ludunt stridentibus alis
et coetu cinxere polum cantusque dedere,
haud aliter puppesque tuae pubesque tuorum
aut portum tenet aut pleno subit ostia velo.   400
perge modo et, qua te ducit via, derige gressum.'
    Dixit et avertens rosea cervice refulsit,
ambrosiaeque comae divinum vertice odorem
spiravere; pedes vestis defluxit ad imos,
et vera incessu patuit dea. ille ubi matrem   405
agnovit tali fugientem est voce secutus:
'quid natum totiens, crudelis tu quoque, falsis
ludis imaginibus? cur dextrae iungere dextram
non datur ac veras audire et reddere voces?'
talibus incusat gressumque ad moenia tendit.   410
at Venus obscuro gradientis aëre saepsit,
et multo nebulae circum dea fudit amictu,

schlagen von Wellen und Eurus, noch übrig. Ich selbst ziehe
unbekannt und arm durch Libyens Wüste, aus Europa und
Asien ausgeschlossen.« Venus ertrug es nicht, daß er noch
mehr klagte [385] und unterbrach ihn mitten in seiner kum-
mervollen Rede:

»Wer du auch bist, nicht als ein den Göttern Verhaßter,
glaube ich, atmest du die Luft zum Leben, da du zur Stadt
der Tyrier gekommen bist; geh nur weiter und begib dich
von hier zum Palast der Königin. Denn ich vermelde dir die
Rückkehr deiner Gefährten und daß deine Flotte wieder
aufgetaucht [390] und nach dem Drehen des Nordwinds an
einem sicheren Ort gelandet ist, wenn mich meine Eltern
nicht ganz und gar umsonst in der Kunst der Vogelschau
unterrichtet haben. Sieh die zweimal sechs Schwäne froh da-
hinziehen, die doch Iuppiters Adler, der aus den Zonen des
Äthers herabgeglitten, am weiten Himmel jagte. Jetzt sieht
man sie in langer Reihe [395] den Erdboden erreichen oder
auf ihn, der von anderen schon erreicht ist, herunter-
schauen. Wie sie dann heimkehrend mit rauschenden Flü-
geln spielen und dabei im Schwarm den Himmelspol um-
kreisen und ihre Schreie ausstoßen, ganz so sind deine
Schiffe und die junge Mannschaft deiner Leute schon im
Hafen oder laufen mit vollen Segeln dort ein. [400] Geh also
nur weiter und lenke deinen Schritt, wohin der Weg dich
führt.«

Sprach's und wandte sich ab; da schimmerte rosig ihr
Nacken, und ihr ambrosisches Haar verströmte vom Scheitel himmlischen Duft; ihr Gewand floß bis auf die Füße
hinab, und in ihrem Gang wurde die wahre Göttin offenbar. Als Aeneas die Mutter [405] erkannte, rief er der Davon-
eilenden diese Worte nach: »Warum narrst du den Sohn so
oft, grausam auch du, mit Trugbildern? Warum dürfen wir
uns nicht die Hände reichen und aufrichtig miteinander
sprechen?« So klagt er an und lenkt seinen Schritt zur Stadt.
[410] Doch Venus hüllte die beiden Wanderer in einen un-
durchdringlichen Dunst, mit einer dichten Nebeldecke um-

cernere ne quis eos neu quis contingere posset
molirive moram aut veniendi poscere causas.
ipsa Paphum sublimis abit sedesque revisit   415
laeta suas, ubi templum illi, centumque Sabaeo
ture calent arae sertisque recentibus halant.

  Corripuere viam interea, qua semita monstrat,
iamque ascendebant collem, qui plurimus urbi
imminet adversasque aspectat desuper arces.   420
miratur molem Aeneas, magalia quondam,
miratur portas strepitumque et strata viarum.
instant ardentes Tyrii: pars ducere muros
molirique arcem et manibus subvolvere saxa,
pars optare locum tecto et concludere sulco;   425
iura magistratusque legunt sanctumque senatum.
hic portus alii effodiunt; hic alta theatris
fundamenta locant alii, immanisque columnas
rupibus excidunt, scaenis decora alta futuris:
qualis apes aestate nova per florea rura   430
exercet sub sole labor, cum gentis adultos
educunt fetus, aut cum liquentia mella
stipant et dulci distendunt nectare cellas,
aut onera accipiunt venientum, aut agmine facto
ignavum fucos pecus a praesepibus arcent;   435
fervet opus redolentque thymo fraglantia mella.
'o fortunati, quorum iam moenia surgunt!'
Aeneas ait et fastigia suspicit urbis.
infert se saeptus nebula (mirabile dictu)
per medios, miscetque viris neque cernitur ulli.   440

  Lucus in urbe fuit media, laetissimus umbrae,
quo primum iactati undis et turbine Poeni

gab sie die Göttin ringsum, damit niemand sie sehen noch
berühren, niemand sie aufhalten oder nach den Gründen ihres Kommens fragen konnte. Sie selbst entschwand durch
die Lüfte nach Paphos und kehrte froh zu ihrem Wohnsitz
zurück, [415] wo sie einen Tempel hat und auf hundert Altären sabäischer Weihrauch schwelt, frische Blumengirlanden
duften.

Indessen nahmen sie eilig den Weg, wie der Pfad ihn wies,
und erklommen schon den Hügel, der am weitesten die
Stadt überragt und von oben her den Blick auf die Burg gegenüber freigibt. [420] Staunend sieht Aeneas den gewaltigen
Bau, wo vorher Hütten standen, staunend sieht er die Tore
und hört das Lärmen in den gepflasterten Straßen. Mit Feu-
ereifer sind die Tyrier bei der Arbeit: Die einen ziehen die
Mauern hoch und bauen an der Burg, wälzen dafür mit den
Händen die Steinblöcke herbei, andere wählen gerade den
Platz für ihr Haus und umgrenzen ihn mit einer Furche.
[425] Man schafft Gesetze, verteilt Ämter und wählt den
ehrwürdigen Senat. Hier heben Leute Hafenbecken aus,
dort legen andere tief die Fundamente für ein Theater und
hauen riesige Säulen aus dem Fels, hochragenden Schmuck
für die künftige Bühne. Ganz so treibt im Frühsommer die
Arbeit unter der Sonne die Bienen über die blühenden Felder, [430] wenn sie die ausgewachsene Brut des Volkes hin-
ausführen, wenn sie den klaren Honig zusammentragen und
mit dem süßen Nektar die Waben prall anfüllen, die Tracht
der Zurückkommenden in Empfang nehmen oder in Reih
und Glied die Drohnen, das träge Getier, vom Bienenkorb
fernhalten; [435] der ganze Stock schwärmt, und nach Thy-
mian duftet wohlriechend der Honig. »Ihr glücklichen
Menschen, deren Mauern sich schon erheben!« So sagt
Aeneas und blickt hinauf zu den Giebeln der Stadt. In Nebel gehüllt geht er – o Wunder – mitten hinein und mischt
sich, von keinem bemerkt, unter die Leute. [440]

Ein Hain lag mitten in der Stadt, überaus reich an Schatten, in dem gruben gleich nach der Ankunft die Punier, von

effodere loco signum, quod regia Iuno
monstrarat, caput acris equi; sic nam fore bello
egregiam et facilem victu per saecula gentem.   445
hic templum Iunoni ingens Sidonia Dido
condebat, donis opulentum et numine divae,
aerea cui gradibus surgebant limina nexaeque
aere trabes, foribus cardo stridebat aënis.
hoc primum in luco nova res oblata timorem   450
leniit, hic primum Aeneas sperare salutem
ausus et adflictis melius confidere rebus.
namque sub ingenti lustrat dum singula templo
reginam opperiens, dum quae fortuna sit urbi
artificumque manus inter se operumque laborem   455
miratur, videt Iliacas ex ordine pugnas
bellaque iam fama totum vulgata per orbem,
Atridas Priamumque et saevum ambobus Achillem.
constitit et lacrimans 'quis iam locus,' inquit, 'Achate,
quae regio in terris nostri non plena laboris?   460
en Priamus.   sunt hic etiam sua praemia laudi;
sunt lacrimae rerum et mentem mortalia tangunt.
solve metus; feret haec aliquam tibi fama salutem.'
sic ait atque animum pictura pascit inani
multa gemens, largoque umectat flumine vultum.   465
namque videbat uti bellantes Pergama circum
hac fugerent Grai, premeret Troiana iuventus;
hac Phryges, instaret curru cristatus Achilles.
nec procul hinc Rhesi niveis tentoria velis
agnoscit lacrimans, primo quae prodita somno   470
Tydides multa vastabat caede cruentus,

Wind und Wellen hierhin verschlagen, ein Zeichen aus, das
ihnen die Königin Iuno verheißen hatte, den Kopf eines
feurigen Pferdes. Dessen Bedeutung: Herausragen werde
im Kampf das Volk und mühelos sein Leben meistern über
Jahrhunderte hin. [445] Hier ließ die Sidonierin Dido der
Iuno einen gewaltigen Tempel erbauen, reich gesegnet mit
Weihgeschenken und dem Walten der Göttin; aus Stufen
heraus wuchsen seine eherne Schwelle und die mit Erz-
klammern verbundenen Pfosten, eherne Türen ächzten in
ihren Angeln. In diesem Hain zuerst besänftigte ein un-
erwarteter Anblick seine Furcht, [450] hier zuerst wagte
Aeneas, auf Rettung zu hoffen und mitten im Unglück wieder zuversichtlich zu sein. Denn während er an der Basis
des riesigen Tempels in Erwartung der Königin die einzelnen Bilder betrachtet, während er bestaunt, welches Schicksal der Stadt bestimmt ist, dazu das ineinandergreifende
Werk der Künstler und die für all dies aufgewendete Mühe,
[455] sieht er die Kämpfe um Ilium der Reihe nach, die
Kriege, deren Kunde schon über dem ganzen Erdkreis verbreitet ist, sieht die Atriden und Priamus und den über
beide ergrimmten Achilles. Er blieb stehen und sagte unter
Tränen: »Welcher Ort, Achates, welche Gegend auf Erden
ist nicht schon erfüllt von unserem Leid? [460] Sieh, da ist
Priamus. Auch hier erhält ruhmvolle Tat ihren Lohn. Auch
hier fließen Tränen über den Lauf der Dinge, und Men-
schenlos rührt die Gemüter. Banne die Furcht: Dieser
Ruhm wird dir noch irgendwie Glück bringen.« So sprach
er und weidete sich an der Illusion der Bilder, wiederholt
seufzend, und benetzte sein Gesicht reichlich mit Tränen.
[465] Er sah nämlich, wie beim Kampf um Pergamum hier
die Griechen flohen, unter dem Druck der troianischen Jugend, dort die Phryger, die der helmbuschtragende Achilles
auf seinem Wagen hart bedrängte. Nicht weit davon erkennt er weinend die Zelte des Rhesus mit ihren schneewei-
ßen Bahnen, die, zur Zeit des ersten Schlafes verraten, [470]
der blutrünstige Sohn des Tydeus in vielfachem Mord ver-

ardentisque avertit equos in castra prius quam
pabula gustassent Troiae Xanthumque bibissent.
parte alia fugiens amissis Troilus armis,
infelix puer atque impar congressus Achilli,   475
fertur equis curruque haeret resupinus inani,
lora tenens tamen; huic cervixque comaeque trahuntur
per terram, et versa pulvis inscribitur hasta.
interea ad templum non aequae Palladis ibant
crinibus Iliades passis peplumque ferebant   480
suppliciter, tristes et tunsae pectora palmis;
diva solo fixos oculos aversa tenebat.
ter circum Iliacos raptaverat Hectora muros
exanimumque auro corpus vendebat Achilles.
tum vero ingentem gemitum dat pectore ab imo,   485
ut spolia, ut currus, utque ipsum corpus amici
tendentemque manus Priamum conspexit inermis.
se quoque principibus permixtum agnovit Achivis,
Eoasque acies et nigri Memnonis arma.
ducit Amazonidum lunatis agmina peltis   490
Penthesilea furens mediisque in milibus ardet,
aurea subnectens exsertae cingula mammae
bellatrix, audetque viris concurrere virgo.

   Haec dum Dardanio Aeneae miranda videntur,
dum stupet obtutuque haeret defixus in uno,   495
regina ad templum, forma pulcherrima Dido,
incessit magna iuvenum stipante caterva.
qualis in Eurotae ripis aut per iuga Cynthi
exercet Diana choros, quam mille secutae
hinc atque hinc glomerantur Oreades; illa pharetram   500
fert umero gradiensque deas supereminet omnis
(Latonae tacitum pertemptant gaudia pectus):

heerte und dann die feurigen Pferde zum Lager lenkte, bevor sie das Futter von Troia geschmeckt und aus dem Xanthus getrunken. An anderer Stelle flieht Troilus nach dem Verlust seiner Waffen, der unglückliche Knabe, dem Achilles unebenbürtig im Kampf: [475] Mitgeschleift von den Pferden hängt er rücklings am leeren Wagen, die Zügel dennoch fest in der Hand; sein Nacken und Haar werden über den Boden gezerrt, und die umgedrehte Lanze hinterläßt Spuren im Staub. Indessen gingen zum Tempel der zürnenden Pallas ilische Frauen mit gelösten Haaren und brachten flehend ein prächtiges Gewand, [480] und trauernd schlugen sie die Brust mit den Händen; die Göttin aber hielt, abgewandt, ihren Blick auf den Boden geheftet. Dreimal hatte Achilles Hector um Iliums Mauern geschleift und wollte den entseelten Körper für Gold verkaufen. Nun aber stieg Aeneas ein schwerer Seufzer aus tiefster Brust, [485] als sein Blick auf Beutestücke, Wagen und den Leichnam des Freundes selbst fiel und auf Priamus, der seine Hände waffenlos ausstreckte. Auch sich erkannte er im Kampf mit den Fürsten der Achiver, dazu die Truppen aus dem Osten und die Waffen des schwarzen Memnon. Den Zug der Amazonen mit ihren mondförmigen Schilden führt [490] die rasende Penthesilea, lodert inmitten Tausender; sie trägt den goldenen Gürtel unter der entblößten Brust geschlossen, eine Kriegerin, und es wagt die Jungfrau, sich mit Männern im Kampf zu messen.

Während all dies dem Dardaner Aeneas bewundernswert erschien, während er staunte und gebannt einzig im Schauen verharrte, [495] näherte sich die Königin dem Tempel, die wunderschöne Dido, von einer großen Schar junger Leute begleitet. Wie an den Ufern des Eurotas oder über die Rücken des Cynthus Diana ihre Reigen führt, die tausend Oreaden, von überall her ihr gefolgt, dicht umdrängen; sie trägt den Köcher [500] über der Schulter, und wenn sie einhergeht, überragt sie die Göttinnen alle (da durchströmt Wonne ohne Worte Latonas Brust): So war Dido, so schritt

talis erat Dido, talem se laeta ferebat
per medios instans operi regnisque futuris.
tum foribus divae, media testudine templi,   505
saepta armis solioque alte subnixa resedit.
iura dabat legesque viris, operumque laborem
partibus aequabat iustis aut sorte trahebat:
cum subito Aeneas concursu accedere magno
Anthea Sergestumque videt fortemque Cloanthum   510
Teucrorumque alios, ater quos aequore turbo
dispulerat penitusque alias avexerat oras.
obstipuit simul ipse, simul percussus Achates
laetitiaque metuque; avidi coniungere dextras
ardebant, sed res animos incognita turbat.   515
dissimulant et nube cava speculantur amicti
quae fortuna viris, classem quo litore linquant,
quid veniant; cunctis nam lecti navibus ibant
orantes veniam et templum clamore petebant.
    Postquam introgressi et coram data copia fandi,   520
maximus Ilioneus placido sic pectore coepit:
'o regina, novam cui condere Iuppiter urbem
iustitiaque dedit gentis frenare superbas,
Troes te miseri, ventis maria omnia vecti,
oramus: prohibe infandos a navibus ignis,   525
parce pio generi et propius res aspice nostras.
non nos aut ferro Libycos populare penatis
venimus, aut raptas ad litora vertere praedas;
non ea vis animo nec tanta superbia victis.
est locus, Hesperiam Grai cognomine dicunt,   530
terra antiqua, potens armis atque ubere glaebae;
Oenotri coluere viri; nunc fama minores

sie frohgestimmt mitten durch ihr Gefolge und drängte zur
Arbeit und künftigen Herrschaft. Dann ließ sich Dido beim
Portal der Göttin, mitten in der gewölbten Halle des Tempels, [505] von Waffen umgeben, hoch auf dem Thron nieder. Sie gab den Männern Rechtsnormen und Gesetze, die
Last der Arbeiten verteilte sie gerecht oder ließ sie durch
Los bestimmen: Da sieht Aeneas plötzlich im großen Gedränge Antheus und Sergestus herankommen, auch den
tapferen Cloanthus [510] und andere Teucrer, die der grauenvolle Orkan auf dem Meer zerstreut und zu einem ganz
anderen Küstenstrich fortgespült hatte. Er selbst ist wie betäubt, und gleich ihm ist Achates erschüttert von Freude
und Furcht. Sie brennen vor Verlangen, den Gefährten die
Hände zu drücken, doch die unklare Lage verwirrt sie. [515]
Sie bleiben verborgen, und von der verhüllenden Wolke
umgeben wollen sie mithören, welches Geschick die Männer ereilte, an welcher Küste sie die Flotte ließen und warum sie jetzt kämen; denn von allen Schiffen ausgewählt gingen sie, um gnädige Aufnahme zu erbitten, und strebten
nun durch den Lärm dem Tempel zu.

Nachdem sie eingetreten waren und ihnen Gelegenheit
gegeben war, vor allen zu sprechen, [520] begann der Rang-
älteste, Ilioneus, friedlich gesinnt mit folgenden Worten:
»Königin, der Iuppiter vergönnte, eine neue Stadt zu gründen, und stolzen Völkern in Gerechtigkeit Zügel anzulegen,
wir unglücklichen Troer, von den Winden über alle Meere
getragen, bitten dich: Halte unsägliche Feuersbrunst von
unsern Schiffen fern, [525] schone unser frommgesinntes
Volk und betrachte näher unsere Lage. Wir sind nicht gekommen, eure libyschen Wohnsitze mit dem Schwert zu
verwüsten oder geraubte Beute zur Küste zu schaffen; nicht
denken an solche Gewalt noch an solche Dreistigkeit die
Besiegten. Es gibt eine Gegend, Hesperien nennen sie die
Griechen, [530] ein altes Land, mächtig durch Waffen und
die Fruchtbarkeit seiner Scholle: Oenotrier wohnten dort;
nun geht die Kunde, die Nachfahren hätten das Volk nach

Italiam dixisse ducis de nomine gentem.
hic cursus fuit,
cum subito adsurgens fluctu nimbosus Orion   535
in vada caeca tulit penitusque procacibus Austris
perque undas superante salo perque invia saxa
dispulit; huc pauci vestris adnavimus oris.
quod genus hoc hominum? quaeve hunc tam barbara
                                              morem
permittit patria? hospitio prohibemur harenae;   540
bella cient primaque vetant consistere terra.
si genus humanum et mortalia temnitis arma,
at sperate deos memores fandi atque nefandi.
rex erat Aeneas nobis, quo iustior alter
nec pietate fuit, nec bello maior et armis.   545
quem si fata virum servant, si vescitur aura
aetheria neque adhuc crudelibus occubat umbris,
non metus, officio nec te certasse priorem
paeniteat. sunt et Siculis regionibus urbes
armaque Troianoque a sanguine clarus Acestes.   550
quassatam ventis liceat subducere classem
et silvis aptare trabes et stringere remos,
si datur Italiam sociis et rege recepto
tendere, ut Italiam laeti Latiumque petamus;
sin absumpta salus, et te, pater optime Teucrum,   555
pontus habet Libyae nec spes iam restat Iuli,
at freta Sicaniae saltem sedesque paratas,
unde huc advecti, regemque petamus Acesten.'
talibus Ilioneus; cuncti simul ore fremebant
Dardanidae.   560
    Tum breviter Dido vultum demissa profatur:
'solvite corde metum, Teucri, secludite curas.

dem Namen seines Führers Italien genannt. Dahin ging unsere Fahrt, als sich mit einer plötzlichen Flutwelle der re-
genreiche Orion [535] erhob und uns in unsichtbare Untie-
fen trug, mit Hilfe der dreisten Südwinde weithin über
Meereswogen, die über uns zusammenschlugen, und über
unwegsames Felsgestein zerstreute; wir, wenige nur, gelang-
ten schwimmend hierhin an eure Küste. Welch ein Men-
schenschlag lebt hier? Welch ein barbarisches Land gestattet
solch ein Verhalten? Man verweigert uns das Gastrecht am
Strand; [540] man greift uns an und verbietet uns, am äußersten Rand des Landes Fuß zu fassen. Wenn ihr Menschenart
und irdische Waffen mißachtet, so rechnet damit, daß die
Götter Recht und Unrecht nicht vergessen. Wir hatten einen König, Aeneas, der in seiner Frömmigkeit gerecht, in
Krieg und Kampf erfahren war wie kein zweiter: [545] Wenn
die Fata diesen Helden unversehrt bewahren, wenn er Him-
melsluft atmet und noch nicht im grausamen Reich der
Schatten ruht, so haben wir nichts zu fürchten, und es wird
dich sicher nicht gereuen, im Wetteifern um Gefälligkeit die
Erste gewesen zu sein. Auch die sizilischen Regionen besitzen Städte und Waffen und aus troianischem Blut den berühmten Acestes. [550] Es sollte erlaubt sein, die vom Wind
zerschlagene Flotte an Land zu ziehen, Balken aus dem
Wald zurechtzuzimmern und Ruderstangen zu glätten, um
frohen Sinnes Italien und Latium zu erreichen, wenn uns
denn nach der Wiederkehr von Gefährten und König vergönnt ist, Italien anzusteuern. Wenn uns aber dies glückliche Geschick entrissen ist und dich, bester Vater der Teucrer, [555] das libysche Meer festhält und keine Hoffnung auf
Iulus mehr bleibt, so wollen wir doch wenigstens Siziliens
Meere und die für uns bereiten Wohnsitze, von wo wir hierher gefahren, und König Acestes aufsuchen.« Dies waren
die Worte des Ilioneus; gleich murmelten zustimmend alle
Dardaniden. [560]

Dido antwortet, den Blick gesenkt, mit wenigen Worten:
»Vertreibt die Furcht aus euren Herzen, ihr Teucrer, ver-

res dura et regni novitas me talia cogunt
moliri et late finis custode tueri.
quis genus Aeneadum, quis Troiae nesciat urbem,   565
virtutesque virosque aut tanti incendia belli?
non obtunsa adeo gestamus pectora Poeni,
nec tam aversus equos Tyria Sol iungit ab urbe.
seu vos Hesperiam magnam Saturniaque arva
sive Erycis finis regemque optatis Acesten,   570
auxilio tutos dimittam opibusque iuvabo.
vultis et his mecum pariter considere regnis?
urbem quam statuo, vestra est; subducite navis;
Tros Tyriusque mihi nullo discrimine agetur.
atque utinam rex ipse Noto compulsus eodem   575
adforet Aeneas! equidem per litora certos
dimittam et Libyae lustrare extrema iubebo,
si quibus eiectus silvis aut urbibus errat.'
    His animum arrecti dictis et fortis Achates
et pater Aeneas iamdudum erumpere nubem   580
ardebant. prior Aenean compellat Achates:
'nate dea, quae nunc animo sententia surgit?
omnia tuta vides, classem sociosque receptos.
unus abest, medio in fluctu quem vidimus ipsi
submersum; dictis respondent cetera matris.'   585
vix ea fatus erat cum circumfusa repente
scindit se nubes et in aethera purgat apertum.
restitit Aeneas claraque in luce refulsit
os umerosque deo similis; namque ipsa decoram
caesariem nato genetrix lumenque iuventae   590
purpureum et laetos oculis adflarat honores:
quale manus addunt ebori decus, aut ubi flavo
argentum Pariusve lapis circumdatur auro.

bannt die Sorgen. Die drückende Lage und die noch in den Anfängen stehende Herrschaft zwingen mich, solche Maßnahmen zu ergreifen und mein Gebiet weithin durch Wachen zu schützen. Wer sollte das Geschlecht der Aeneaden, wer die Stadt Troia nicht kennen, [565] die Helden und Heldentaten oder die Fackel dieses gewaltigen Krieges? So gefühllos sind unsere Punierherzen nicht, und nicht so fernab der Tyrierstadt schirrt Sol seine Pferde. Ob eure Wünsche sich auf das große Hesperien und die saturnischen Fluren oder auf das Gebiet des Eryx mit seinem König Acestes richten, [570] ich werde euch sicher unter meinem Schutz ziehen lassen und mit meinen Mitteln unterstützen. Wollt ihr euch aber mit mir zu gleichen Rechten in diesem Reich niederlassen – gut, die Stadt, die ich errichte, gehört euch; zieht die Schiffe an Land; Troer und Tyrier sollen von mir ohne jegliche Unterscheidung behandelt werden. Ach, wäre doch vom nämlichen Südwind getrieben euer König [575] Aeneas selbst hier! Ich werde zuverlässige Leute die Küste entlang schicken und ihnen befehlen, den äußersten Winkel Libyens zu durchforschen, ob er, gestrandet, irgendwo in Wäldern oder Städten umherirrt.«

Durch diese Worte ermutigt brannten der tapfere Achates und Vater Aeneas darauf, doch endlich aus der Wolke herauszutreten. [580] Gleich spricht Achates zu Aeneas: »Sohn der Göttin, welcher Entschluß reift nun in dir? Alles ist in Sicherheit, wie du siehst, Flotte und Gefährten sind gerettet. Einer nur fehlt, den wir selbst mitten in der Flut versinken sahen; alles andere entspricht den Worten der Mutter.« [585] Kaum hatte er dies gesagt, als die sie umhüllende Wolke plötzlich zerriß und sich in klare Luft auflöste. Da stand Aeneas und strahlte im hellen Licht, Gesicht und Schultern wie die eines Gottes; denn die Mutter hatte eigens dem Sohn mit einem Hauch prächtiges Haar, den strahlenden Glanz der Jugend [590] und seinen Augen heitere Anmut verliehen: Solche Schönheit geben Künstlerhände dem Elfenbein, oder so werden Silber und parischer Marmor mit

tum sic reginam adloquitur cunctisque repente
improvisus ait: 'coram, quem quaeritis, adsum,   595
Troius Aeneas, Libycis ereptus ab undis.
o sola infandos Troiae miserata labores,
quae nos, reliquias Danaum, terraeque marisque
omnibus exhaustos iam casibus, omnium egenos,
urbe, domo socias, grates persolvere dignas   600
non opis est nostrae, Dido, nec quidquid ubique est
gentis Dardaniae, magnum quae sparsa per orbem.
di tibi, si qua pios respectant numina, si quid
usquam iustitiae est et mens sibi conscia recti,
praemia digna ferant. quae te tam laeta tulerunt   605
saecula? qui tanti talem genuere parentes?
in freta dum fluvii current, dum montibus umbrae
lustrabunt convexa, polus dum sidera pascet,
semper honos nomenque tuum laudesque manebunt,
quae me cumque vocant terrae.' sic fatus amicum   610
Ilionea petit dextra laevaque Serestum,
post alios, fortemque Gyan fortemque Cloanthum.
    Obstipuit primo aspectu Sidonia Dido,
casu deinde viri tanto, et sic ore locuta est:
'quis te, nate dea, per tanta pericula casus   615
insequitur? quae vis immanibus applicat oris?
tune ille Aeneas quem Dardanio Anchisae
alma Venus Phrygii genuit Simoentis ad undam?
atque equidem Teucrum memini Sidona venire
finibus expulsum patriis, nova regna petentem   620
auxilio Beli; genitor tum Belus opimam
vastabat Cyprum et victor dicione tenebat.
tempore iam ex illo casus mihi cognitus urbis

rötlich-gelbem Gold gefaßt. Nun wendet er sich an die Königin und spricht plötzlich, für alle unerwartet, die folgenden Worte: »Vor euch stehe ich, den ihr sucht, [595] der Troer Aeneas, aus der libyschen See gerettet. Dir, die als einzige das unaussprechliche Leid Troias beklagt hat, die uns, allein von den Danaern übriggelassen, durch alle erdenklichen Unglücksfälle zu Wasser und zu Land erschöpft, in jeder Hinsicht bedürftig, an Stadt und Palast teilhaben läßt, gebührenden Dank abzustatten, [600] vermögen weder wir, Dido, noch allenthalben die Reste des Dardanervolkes, das über den großen Erdkreis zerstreut ist. Mögen dich die Götter, wenn irgendwelche himmlischen Mächte gottesfürchtige Menschen beachten, wenn es irgendwo ein Stück Gerechtigkeit gibt und ein Bewußtsein für das Gute, würdig belohnen. Welch glückverheißendes Zeitalter hat dich hervorgebracht? [605] Welch bedeutende Eltern haben einer solchen Tochter das Leben geschenkt? Solange Flüsse zum Meer hin eilen, solange Schatten über Bergwände hinziehen, solange das Himmelszelt Sterne weidet, werden stets dein Ansehen, Name und Ruhm bleiben, welches Land auch immer mich ruft.« Nach diesen Worten [610] reicht er dem Freund Ilioneus die Rechte, die Linke Serestus, danach den andern, dem tapferen Gyas und dem tapferen Cloanthus.

Es staunte zunächst über den Anblick des Helden die Sidonierin Dido, sodann über sein so großes Unglück, und endlich sagte sie: »Welche Schicksalsmacht, Sohn einer Göttin, verfolgt dich durch so große Gefahren? [615] Welche Gewalt treibt dich an unsere unwirtliche Küste? Bist du nicht der Aeneas, den die segenspendende Venus dem Dardaner Anchises am Ufer des phrygischen Simois gebar? Ich freilich erinnere mich noch, daß der Grieche Teucer, aus der Heimat vertrieben, nach Sidon kam und ein neues Herrschaftsgebiet suchte, [620] mit Hilfe des Belus. Mein Vater Belus verwüstete damals das reiche Zypern und hielt es nach seinem Sieg in seiner Gewalt. Seit jener Zeit schon sind

Troianae nomenque tuum regesque Pelasgi.
ipse hostis Teucros insigni laude ferebat   625
seque ortum antiqua Teucrorum a stirpe volebat.
quare agite, o tectis, iuvenes, succedite nostris.
me quoque per multos similis fortuna labores
iactatam hac demum voluit consistere terra;
non ignara mali miseris succurrere disco.'   630
sic memorat; simul Aenean in regia ducit
tecta, simul divum templis indicit honorem.
nec minus interea sociis ad litora mittit
viginti tauros, magnorum horrentia centum
terga suum, pinguis centum cum matribus agnos,   635
munera laetitiamque dii.
at domus interior regali splendida luxu
instruitur, mediisque parant convivia tectis:
arte laboratae vestes ostroque superbo,
ingens argentum mensis, caelataque in auro   640
fortia facta patrum, series longissima rerum
per tot ducta viros antiqua ab origine gentis.

    Aeneas (neque enim patrius consistere mentem
passus amor) rapidum ad navis praemittit Achaten,
Ascanio ferat haec ipsumque ad moenia ducat;   645
omnis in Ascanio cari stat cura parentis.
munera praeterea Iliacis erepta ruinis
ferre iubet, pallam signis auroque rigentem
et circumtextum croceo velamen acantho,
ornatus Argivae Helenae, quos illa Mycenis,   650
Pergama cum peteret inconcessosque hymenaeos,
extulerat, matris Ledae mirabile donum;
praeterea sceptrum, Ilione quod gesserat olim,
maxima natarum Priami, colloque monile

mir der Fall der Stadt Troia, dein Name und die pelasgi-
schen Könige bekannt. Obwohl selbst ihr Feind, rühmte er
die Teucrer hoch [625] und wollte gern als Nachkomme aus
dem alten Teucrergeschlecht gelten. Kommt also, Männer,
und tretet unter mein Dach! Auch mir hat ein ähnliches
Schicksal in vielerlei Mühsal übel mitgespielt und ließ mich
in diesem Land endlich Fuß fassen. Selbst leiderfahren,
lerne ich jetzt, Unglücklichen beizustehen.« [630] So spricht
Dido. Dann führt sie Aeneas in den königlichen Palast und
kündigt gleichzeitig an, den Göttern in den Tempeln ein
Dankopfer darzubringen. Zudem schickt sie unterdessen
den Gefährten zur Küste hinab zwanzig Stiere, die borsti-
gen Rücken von hundert gewaltigen Schweinen, hundert
fette Lämmer dazu samt den Mutterschafen: [635] Geschenke zu diesem Freudentag. Doch das Innere des Palastes wird in königlicher Pracht glänzend ausgestattet, inmitten bereitet man das Gastmahl: Die Decken sind kunstvoll
aus edlem Purpur gewebt; Silbergeschirr ziert reich die Ti-
sche, und in Gold getrieben [640] sind die Heldentaten der
Väter zu sehen, eine fast endlose Reihe von Erfolgen, errun-
gen von den Männern in großer Zahl seit dem Beginn des
alten Geschlechtes.

Aeneas schickt (denn die väterliche Liebe läßt sein Herz
nicht ruhen) Achates eilends zu den Schiffen voraus, um
dies Ascanius zu berichten und ihn selbst zur Stadt zu führen. [645] Ascanius gehört die ganze Sorge des liebenden Vaters. Außerdem befiehlt er, aus dem Untergang Iliums ge-
rettete Kostbarkeiten als Geschenke zu bringen, einen Man-
tel, steif von den mit Goldfäden eingestickten Figuren, und
einen Schleier, mit safrangelbem Akanthus umsäumt,
Schmuckstücke der Argiverin Helena, die sie aus Mykene
[650] auf den Weg nach Pergamum und in eine unerlaubte
Ehe mitgenommen hatte, ein wunderbares Geschenk ihrer
Mutter Leda; außerdem ein Szepter, das Ilione einst getragen, die älteste Tochter des Priamus, einen mit Perlen ver-
zierten Halsschmuck und eine Doppelkrone aus Gold und

Zu 1,594–630

Zu 1,631–694

bacatum, et duplicem gemmis auroque coronam.   655
haec celerans iter ad navis tendebat Achates.
    At Cytherea novas artis, nova pectore versat
consilia, ut faciem mutatus et ora Cupido
pro dulci Ascanio veniat, donisque furentem
incendat reginam atque ossibus implicet ignem.   660
quippe domum timet ambiguam Tyriosque bilinguis;
urit atrox Iuno et sub noctem cura recursat.
ergo his aligerum dictis adfatur Amorem:
'nate, meae vires, mea magna potentia, solus
nate patris summi qui tela Typhoëa temnis,   665
ad te confugio et supplex tua numina posco.
frater ut Aeneas pelago tuus omnia circum
litora iactetur odiis Iunonis acerbae,
nota tibi, et nostro doluisti saepe dolore.
hunc Phoenissa tenet Dido blandisque moratur   670
vocibus, et vereor quo se Iunonia vertant
hospitia: haud tanto cessabit cardine rerum.
quocirca capere ante dolis et cingere flamma
reginam meditor, ne quo se numine mutet,
sed magno Aeneae mecum teneatur amore.   675
qua facere id possis nostram nunc accipe mentem:
regius accitu cari genitoris ad urbem
Sidoniam puer ire parat, mea maxima cura,
dona ferens pelago et flammis restantia Troiae;
hunc ego sopitum somno super alta Cythera   680
aut super Idalium sacrata sede recondam,
ne qua scire dolos mediusve occurrere possit.
tu faciem illius noctem non amplius unam

Edelsteinen. [655] Um diesen Auftrag rasch zu erfüllen, eilte
Achates zu den Schiffen.

Doch Cytherea ersinnt neue List, einen neuen Plan in ih-
rem Herzen: Cupido soll Gestalt und Gesicht des reizenden
Ascanius annehmen und an dessen Stelle kommen, soll die
Königin durch die Geschenke zu leidenschaftlicher Liebe
entflammen und ihr Feuer in Mark und Bein jagen. [660]
Fürchtet doch Venus die Verschlagenheit des Königshauses
und die Doppelzüngigkeit der Tyrier; es quält sie Iunos
Zorn, und zur Nacht erwacht erneut ihre Sorge. Daher
wendet sie sich mit folgenden Worten an den geflügelten
Amor: »Mein Sohn, meine Kraft, meine große Macht, mein
Sohn, der du allein die Blitze des Vaters Iuppiter verachtest,
die den Typhoeus töteten, [665] zu dir nehme ich meine Zu-
flucht und flehe demütig bittend dein göttliches Walten an.
Daß dein Bruder Aeneas an alle Gestade des Meeres ringsum verschlagen wird durch den Haß der rücksichtslosen
Iuno, ist dir bekannt, und oft hast du meine Schmerzen ge-
teilt. Ihn hält die Phönikerin Dido und lädt ihn mit schmei-
chelnden [670] Worten zum Verweilen ein, ich aber bange,
wohin die Gastfreundschaft Iunos führt: Sie wird in einem
so entscheidenden Augenblick nicht müßig sein. Darum bin
ich darauf bedacht, die Königin vorher mit List zu umgar-
nen und durch heiße Liebe zu fesseln, damit sie nicht durch
göttlichen Wink anderen Sinnes wird, sondern wie ich in
großer Liebe an Aeneas hängt. [675] Vernimm nun meine
Überlegung, wie du dies bewerkstelligen kannst: Von seinem geliebten Vater gerufen rüstet sich der königliche
Knabe Ascanius, auf den sich all mein Sorgen richtet, in die
sidonische Stadt zu gehen mit Geschenken, die aus dem
Meer und dem brennenden Troia gerettet wurden; ihn will
ich, von tiefem Schlaf umfangen, an heiliger Stätte droben
im hohen Cythera [680] oder am Berg Idalium verbergen,
damit er nicht etwa Kenntnis von der List bekommen und
unser Vorhaben stören kann. Täusche du listig für eine
Nacht, nicht länger, seine Gestalt vor und nimm, ein Knabe

falle dolo et notos pueri puer indue vultus,
ut, cum te gremio accipiet laetissima Dido   685
regalis inter mensas laticemque Lyaeum,
cum dabit amplexus atque oscula dulcia figet,
occultum inspires ignem fallasque veneno.'
paret Amor dictis carae genetricis, et alas
exuit et gressu gaudens incedit Iuli.   690
at Venus Ascanio placidam per membra quietem
inrigat, et fotum gremio dea tollit in altos
Idaliae lucos, ubi mollis amaracus illum
floribus et dulci aspirans complectitur umbra.

Iamque ibat dicto parens et dona Cupido   695
regia portabat Tyriis duce laetus Achate.
cum venit, aulaeis iam se regina superbis
aurea composuit sponda mediamque locavit,
iam pater Aeneas et iam Troiana iuventus
conveniunt, stratoque super discumbitur ostro.   700
dant manibus famuli lymphas Cereremque canistris
expediunt tonsisque ferunt mantelia villis.
quinquaginta intus famulae, quibus ordine longam
cura penum struere et flammis adolere penatis;
centum aliae totidemque pares aetate ministri,   705
qui dapibus mensas onerent et pocula ponant.
nec non et Tyrii per limina laeta frequentes
convenere, toris iussi discumbere pictis.

Mirantur dona Aeneae, mirantur Iulum,
flagrantisque dei vultus simulataque verba,   710
pallamque et pictum croceo velamen acantho.
praecipue infelix, pesti devota futurae,
expleri mentem nequit ardescitque tuendo
Phoenissa, et pariter puero donisque movetur.

wie er, das vertraute Aussehen des Knaben an, um Dido,
wenn sie dich überglücklich beim königlichen Mahl und
beim Wein auf den Schoß nimmt, [685] wenn sie dich umarmt und zärtlich küßt, heimlich Feuer einzuhauchen und
sie durch dein Gift zu betören.« Amor gehorcht den Worten der teuren Mutter, streift die Flügel ab, und schon
kommt er freudig wie Iulus daher. [690] Venus jedoch gießt
über die Glieder des Ascanius friedlichen Schlummer und
bringt ihn, die Göttin, in ihrem Schoß geborgen zu den
hochgelegenen Hainen von Idalia: Dort duftet um ihn der
sanfte Majoran in voller Blüte, umfängt ihn zärtlich mit seinem Schatten.

Schon geht indes Cupido, dem Befehl gehorchend, und
bringt, [695] von Achates geführt, mit Freuden den Tyriern
die königlichen Geschenke. Als er ankommt, hat die Königin bereits auf prächtigen Decken Platz genommen und sich
in der Mitte eines goldenen Sofas gelagert; schon findet sich
Vater Aeneas, schon seine troianische Mannschaft ein, und
man läßt sich auf purpurfarbenen Polstern nieder. [700] Diener reichen Wasser für die Hände, verteilen Brot aus Kör-
ben und bringen Handtücher mit kurzem Flor. Fünfzig
Dienerinnen sind drinnen darum besorgt, die lange Folge
der Speisen anzurichten und das Feuer auf den Herden in
Gang zu halten. Hundert andere Dienerinnen und ebenso
viele gleichaltrige Diener [705] haben die Aufgabe, die Speisen aufzutragen und Trinkbecher hinzustellen. Aber auch
zahlreiche Tyrier treten über die Schwelle des festlichen
Raumes und werden aufgefordert, auf buntbestickten Polstern sich niederzulassen.

Man bewundert die Geschenke des Aeneas, man bewundert Iulus, sein göttlich leuchtendes Gesicht und die täu-
schend echt vorgetragenen Worte, [710] das Gewand und
den mit safranfarbenem Akanthus bestickten Schleier. Allen
voran kann die unglückselige Phönikerin, künftigem Verderben bestimmt, ihr Herz nicht sättigen und gerät beim
Anschauen in Entzücken, ist zugleich von dem Knaben und

ille ubi complexu Aeneae colloque pependit   715
et magnum falsi implevit genitoris amorem,
reginam petit.   haec oculis, haec pectore toto
haeret et interdum gremio fovet inscia Dido
insidat quantus miserae deus.   at memor ille
matris Acidaliae paulatim abolere Sychaeum   720
incipit et vivo temptat praevertere amore
iam pridem resides animos desuetaque corda.

    Postquam prima quies epulis mensaeque remotae,
crateras magnos statuunt et vina coronant.
fit strepitus tectis vocemque per ampla volutant   725
atria; dependent lychni laquearibus aureis
incensi et noctem flammis funalia vincunt.
hic regina gravem gemmis auroque poposcit
implevitque mero pateram, quam Belus et omnes
a Belo soliti; tum facta silentia tectis: 730
    'Iuppiter, hospitibus nam te dare iura loquuntur,
hunc laetum Tyriisque diem Troiaque profectis
esse velis, nostrosque huius meminisse minores.
adsit laetitiae Bacchus dator et bona Iuno;
et vos o coetum, Tyrii, celebrate faventes.'   735
dixit et in mensam laticum libavit honorem
primaque, libato, summo tenus attigit ore;
tum Bitiae dedit increpitans; ille impiger hausit
spumantem pateram et pleno se proluit auro;
post alii proceres.   cithara crinitus Iopas   740
personat aurata, docuit quem maximus Atlas.
hic canit errantem lunam solisque labores,
unde hominum genus et pecudes, unde imber et ignes,

den Geschenken begeistert. Der, als er Aeneas umarmt, an
seinem Hals gehangen [715] und damit die tiefe Zuneigung
des vorgeblichen Vaters befriedigt hat, eilt zur Königin hin.
Sie, Dido, hängt mit ihren Blicken, ja mit ihrem ganzen
Herzen an ihm; ab und zu drückt sie ihn an sich, nicht ah-
nend, welch starker Gott sich ihrer, der Armen, bemächtigt.
Doch dir denkt an den Auftrag seiner Mutter Acidalia, beginnt, allmählich das Bild des Sychaeus auszulöschen, [720]
und versucht, Dido, die lange schon nicht mehr an Liebe
gedacht hat und solcher Gefühle entwöhnt war, unvermutet
lebendige Liebe einzugeben.

Nachdem die erste Ruhe beim Mahl eingetreten und die
Tafel aufgehoben ist, stellen sie große Mischkrüge hin und
bekränzen den Wein. Lärm kommt auf im Palast, und die
Stimmen schallen durch den weiten [725] Saal; brennende
Leuchter hängen von der goldgetäfelten Decke herab, und
Fackeln vertreiben mit ihrem Feuer das Dunkel der Nacht.
Jetzt ließ sich die Königin die schwere aus Gold und Edel-
steinen gefertigte Trinkschale reichen und füllte sie mit
Wein, wie seit Belus und all seinen Nachfolgern üblich. Dar-
auf trat Ruhe ein im Saal: [730]

»Iuppiter, der du ja, wie man sagt, das Gastrecht schützt,
laß diesen Tag für Tyrier und die Ankömmlinge aus Troia
einen Freudentag sein und unsere Nachkommen seiner ge-
denken. Der Freudenspender Bacchus und die gütige Iuno
seien in unserer Mitte; und ihr, Tyrier, feiert frohgestimmt
das Fest.« [735] So sprach sie, goß das Trankopfer auf den
Tisch und berührte nach dem Opfer als erste die Schale mit
den Lippen. Dann gab sie diese an Bitias weiter und for-
derte ihn zum Trinken auf; der trank tüchtig aus der schäumenden Schale und leerte das goldene Gefäß bis zur Neige.
Ihm folgten andere Männer von Adel. Iopas in langem
Haar [740] läßt die goldene Kithara erklingen, wie ihn der
große Atlas gelehrt. Er singt vom wandernden Mond und
von Sonnenfinsternissen, woher der Menschen Geschlecht
und die Tiere kommen, woher Regen und Feuer; von Arc-

Arcturum pluviasque Hyadas geminosque Triones,
quid tantum Oceano properent se tingere soles   745
hiberni, vel quae tardis mora noctibus obstet;
ingeminant plausu Tyrii, Troesque sequuntur.
nec non et vario noctem sermone trahebat
infelix Dido longumque bibebat amorem,
multa super Priamo rogitans, super Hectore multa;   750
nunc quibus Aurorae venisset filius armis,
nunc quales Diomedis equi, nunc quantus Achilles.
'immo age et a prima dic, hospes, origine nobis
insidias' inquit 'Danaum casusque tuorum
erroresque tuos; nam te iam septima portat   755
omnibus errantem terris et fluctibus aestas.'

turus singt er, den wasserreichen Hyaden und von den beiden Sternbildern des Bären, warum die Wintersonne sich so
sehr beeilt, in den Ozean einzutauchen, [745] was das Her-
einbrechen der späten Sommernächte verzögert: Die Tyrier
spenden wiederholt Beifall, und die Troer schließen sich an.
Und nicht zuletzt zog die unglückselige Dido die Nacht
durch allerlei Gespräch in die Länge und nahm dabei lang-
währende Liebe in sich auf. Viel wollte sie erfahren über
Priamus, viel über Hector; [750] bald wollte sie wissen, in
welchen Waffen der Sohn der Aurora gekommen sei, bald
wie die Pferde des Diomedes, bald wie stark Achilles gewesen. »Nun aber weiter, mein Gast«, sagte sie, »berichte uns
ganz von Anfang die Listen der Danaer, den Untergang der
Deinen und deine Irrfahrten; denn schon das siebte Jahr
trägt dich [755] allenthalben auf Irrwegen über Länder und
Meere.«

P. Vergili Maronis
Aeneidos

Liber II

Conticuere omnes intentique ora tenebant;
inde toro pater Aeneas sic orsus ab alto:
  'Infandum, regina, iubes renovare dolorem,
Troianas ut opes et lamentabile regnum
eruerint Danai, quaeque ipse miserrima vidi   5
et quorum pars magna fui. quis talia fando
Myrmidonum Dolopumve aut duri miles Ulixi
temperet a lacrimis? et iam nox umida caelo
praecipitat suadentque cadentia sidera somnos.
sed si tantus amor casus cognoscere nostros   10
et breviter Troiae supremum audire laborem,
quamquam animus meminisse horret luctuque refugit,
incipiam. fracti bello fatisque repulsi
ductores Danaum tot iam labentibus annis
instar montis equum divina Palladis arte   15
aedificant, sectaque intexunt abiete costas;
votum pro reditu simulant; ea fama vagatur.
huc delecta virum sortiti corpora furtim
includunt caeco lateri penitusque cavernas
ingentis uterumque armato milite complent.   20
  Est in conspectu Tenedos, notissima fama
insula, dives opum Priami dum regna manebant,
nunc tantum sinus et statio male fida carinis:

P. Vergilius Maro

Aeneis

2. Buch

Still wurden sie alle, und gespannt waren ihre Mienen; da begann Vater Aeneas, hoch auf dem Polster sitzend, seinen Bericht: »Unsäglichen Schmerz, Königin, heißt du mich wiederbeleben: Wie die Macht Troias, wie seine beklagenswerte Königsherrschaft die Danaer stürzten, was ich mit eigenen Augen an äußerstem Unglück sah, [5] an dem ich ja selbst stark beteiligt war. Wer von den Myrmidonen und Dolopern, erzählte er solches, oder welcher Krieger des grausamen Ulixes könnte da seine Tränen unterdrücken? Auch flieht schon die feuchte Nacht eilends vom Himmel, und es mahnen die sinkenden Sterne zum Schlaf. Doch ist dein Verlangen so stark, von unserem Unglück zu erfahren [10] und in aller Kürze vom Todeskampf Troias zu hören, will ich, obgleich meine Gedanken vor dem Erinnern zurückschrecken und in Trauer davor fliehen, damit beginnen. – Gebrochen vom Krieg, vom Fatum verstoßen im Laufe so vieler Jahre, bauen die Danaerführer ein Pferd, groß wie ein Berg, unterstützt durch die göttliche Kunst der Pallas, [15] und mit Tannenbrettern verkleiden sie seine Rippen. Die Erfüllung eines Gelübdes für die Heimkehr sei es, geben sie vor; so jedenfalls geht das Gerücht. Darin schließen sie eine Gruppe von Männern, die sie durchs Los ermittelt, heimlich ein im Versteck der Flanken: Bis in die Tiefen füllen sie die gewaltige Höhlung, den Bauch mit bewaffneten Kriegern. [20]

In Sichtweite liegt Tenedos, eine durch der Leute Reden weithin bekannte Insel, reich an Schätzen, solange noch des Priamus Herrschaft bestand, heute nur eine Bucht noch und ein tückischer Ankerplatz für Schiffe: Hierhin segelten sie

huc se provecti deserto in litore condunt;
nos abiisse rati et vento petiisse Mycenas.   25
ergo omnis longo solvit se Teucria luctu;
panduntur portae, iuvat ire et Dorica castra
desertosque videre locos litusque relictum:
hic Dolopum manus, hic saevus tendebat Achilles;
classibus hic locus, hic acie certare solebant.   30
pars stupet innuptae donum exitiale Minervae
et molem mirantur equi; primusque Thymoetes
duci intra muros hortatur et arce locari,
sive dolo seu iam Troiae sic fata ferebant.
at Capys, et quorum melior sententia menti,   35
aut pelago Danaum insidias suspectaque dona
praecipitare iubent subiectisque urere flammis,
aut terebrare cavas uteri et temptare latebras.
scinditur incertum studia in contraria vulgus.

   Primus ibi ante omnis magna comitante caterva   40
Laocoon ardens summa decurrit ab arce,
et procul "o miseri, quae tanta insania, cives?
creditis avectos hostis?   aut ulla putatis
dona carere dolis Danaum?   sic notus Ulixes?
aut hoc inclusi ligno occultantur Achivi,   45
aut haec in nostros fabricata est machina muros,
inspectura domos venturaque desuper urbi,
aut aliquis latet error; equo ne credite, Teucri.
quidquid id est, timeo Danaos et dona ferentis."
sic fatus validis ingentem viribus hastam   50
in latus inque feri curvam compagibus alvum
contorsit.   stetit illa tremens, uteroque recusso

und versteckten sich an einsamer Küste; wir aber glaubten, sie seien abgezogen und unter günstigem Wind auf dem Weg nach Mykene. [25] Darum löst sich aus langer Trauer ganz Troia; weit werden die Tore geöffnet, voll Freude geht man hinaus, das dorische Lager zu sehen, die öden Plätze und die verlassene Küste: Hier war das Quartier der Dolopertruppe, hier das Zelt des mörderischen Achilles; hier lag die Flotte an Land, hier trafen gewöhnlich die Reihen der Krieger zum Kampf aufeinander. [30] So mancher bestaunt das unheilvolle Geschenk für die jungfräuliche Minerva, und man bewundert den massigen Leib des Pferdes: und als erster drängt Thymoetes, es in den Mauerring zu ziehen und auf das Gelände der Burg zu stellen – aus Arglist vielleicht oder weil Troias Schicksal es bereits so wollte. Doch Capys und alle, die klüger zu urteilen vermögen, [35] wollen die Falle der Danaer, das verdächtige Geschenk, ins Meer werfen, anzünden und verbrennen oder den Hohlraum des Bauches anbohren und untersuchen, was darin steckt. Es spaltet sich schwankend die Menge in gegensätzliche Absichten.

Als erster allen voran eilt da von großem Gefolge begleitet [40] Laocoon leidenschaftlich erregt von der Höhe der Burg herab und ruft schon von weitem: ›Ihr Unglückseligen, was soll dieser maßlose Wahnsinn, Bürger? Glaubt ihr, der Feind sei abgefahren? Oder denkt ihr, auch nur ein Danaergeschenk sei frei von Hinterhältigkeit? So gut kennt ihr Ulixes? Entweder halten sich eingeschlossen in diesem Holzkoloß Achiver verborgen, [45] oder es ist ein Werk, gezimmert zum Angriff auf unsere Mauern, um die Häuser auszuspähen und von oben über die Stadt zu kommen, oder es steckt sonst eine Täuschung dahinter: Traut dem Pferd nicht, Teucrer! Was immer es sei, ich fürchte die Danaer, auch wenn sie Geschenke machen.‹ Das waren seine Worte, und gleich schleuderte er eine mächtige Lanze mit starker Hand [50] in die Seite des Tieres, in die festgefügte Wölbung seines Bauches. Da blieb sie zitternd stecken, von der Er-

Zu 2,1–32

Zu 2,32–144

insonuere cavae gemitumque dedere cavernae.
et, si fata deum, si mens non laeva fuisset,
impulerat ferro Argolicas foedare latebras,   55
Troiaque nunc staret, Priamique arx alta maneres.

Ecce, manus iuvenem interea post terga revinctum
pastores magno ad regem clamore trahebant
Dardanidae, qui se ignotum venientibus ultro,
hoc ipsum ut strueret Troiamque aperiret Achivis,   60
obtulerat, fidens animi atque in utrumque paratus,
seu versare dolos seu certae occumbere morti.
undique visendi studio Troiana iuventus
circumfusa ruit certantque inludere capto.
accipe nunc Danaum insidias et crimine ab uno   65
disce omnis.

Namque ut conspectu in medio turbatus, inermis
constitit atque oculis Phrygia agmina circumspexit,
"heu, quae nunc tellus," inquit, "quae me aequora possunt
accipere? aut quid iam misero mihi denique restat,   70
cui neque apud Danaos usquam locus, et super ipsi
Dardanidae infensi poenas cum sanguine poscunt?"
quo gemitu conversi animi compressus et omnis
impetus. hortamur fari quo sanguine cretus,
quidve ferat; memoret quae sit fiducia capto.   75*

"Cuncta equidem tibi, rex, fuerit quodcumque,
                                              fatebor   77
vera," inquit; "neque me Argolica de gente negabo.
hoc primum; nec, si miserum Fortuna Sinonem
finxit, vanum etiam mendacemque improba finget.   80

---

* Vers 76 ist (als Dublette zu *Aeneis* 3, 612) aus dem Text genommen.

schütterung des Leibes dröhnten die Hohlräume, und ein
Stöhnen gaben von sich die Höhlen. Ja, wären die Sprüche
der Götter nicht gegen uns, wäre unser Sinn nicht verblen-
det gewesen, er hätte uns dazu gebracht, das Griechenver-
steck mit dem Stahl zu zertrümmern, [55] und Troia stünde
noch heute, du, hohe Burg des Priamus, wärest noch da.

Sieh, einen jungen Mann, die Hände auf dem Rücken gefesselt, schleppten indessen dardanische Hirten mit lautem
Geschrei vor den König: Freiwillig hatte sich der Unbekannte den Herankommenden ausgeliefert, um diese Gemeinheit ins Werk zu setzen, nämlich Troia den Achivern
zu öffnen, [60] verwegen und zu beidem entschlossen, den
schlauen Plan in die Tat umzusetzen oder eines sicheren
Todes zu sterben. Von überall her eilen aus Neugier die jungen Troianer herbei, drängen sich um ihn, und um die Wette
verspotten sie den Gefangenen. So höre nun von der Tücke
der Danaer, und an der einen Schandtat [65] lerne sie alle
kennen.

Denn als er stehengeblieben war, Ziel aller Blicke, verwirrt, ohne Waffen, und auf die Phrygerscharen ringsum ge-
schaut hatte, rief er: ›Ach, welches Land kann jetzt, welches
Meer mich noch aufnehmen, ja, was bleibt mir Unglückli-
chem überhaupt noch, [70] für den bei den Danaern nirgends ein Platz ist und den obendrein die Dardaner in ihrer
Erbitterung mit seinem Blut büßen lassen wollen?‹ Durch
diese Klage wurden alle umgestimmt, und unterdrückt
wurde jede Regung von Gewalt. Wir drängen ihn, nun zu
sagen, aus welchem Geschlecht er stamme und was er zu berichten habe; er solle erklären, woher er, der Gefangene, seinen Mut nehme. [75]

›Alles will ich dir, König, was auch kommen mag, der
Wahrheit gemäß mitteilen‹, sagte er, ›auch meine argolische
Herkunft nicht leugnen. Dies zuerst: Wenn Fortuna schon
einen unglücklichen Menschen aus Sinon gemacht hat, so
wird die Unverschämte ihn nicht noch zum Windbeutel
und Lügner machen. [80] Vielleicht ist dir durch der Leute

fando aliquod si forte tuas pervenit ad auris
Belidae nomen Palamedis et incluta fama
gloria, quem falsa sub proditione Pelasgi
insontem infando indicio, quia bella vetabat,
demisere neci, nunc cassum lumine lugent: 85
illi me comitem et consanguinitate propinquum
pauper in arma pater primis huc misit ab annis.
dum stabat regno incolumis regumque vigebat
conciliis, et nos aliquod nomenque decusque
gessimus.   invidia postquam pellacis Ulixi   90
(haud ignota loquor) superis concessit ab oris,
adflictus vitam in tenebris luctuque trahebam
et casum insontis mecum indignabar amici.
nec tacui demens et me, fors si qua tulisset,
si patrios umquam remeassem victor ad Argos,   95
promisi ultorem et verbis odia aspera movi.
hinc mihi prima mali labes, hinc semper Ulixes
criminibus terrere novis, hinc spargere voces
in vulgum ambiguas et quaerere conscius arma.
nec requievit enim, donec Calchante ministro –   100
sed quid ego haec autem nequiquam ingrata revolvo,
quidve moror?   si omnis uno ordine habetis Achivos,
idque audire sat est, iamdudum sumite poenas:
hoc Ithacus velit et magno mercentur Atridae."

   Tum vero ardemus scitari et quaerere causas,   105
ignari scelerum tantorum artisque Pelasgae.
prosequitur pavitans et ficto pectore fatur:

   "Saepe fugam Danai Troia cupiere relicta
moliri et longo fessi discedere bello;

Reden irgendwie zu Ohren gekommen der Name des Palamedes, eines Nachkommen des Belus, und sein von Mund
zu Mund weit verbreiteter Ruhm, der Mann, den nach einer
unwahren Anschuldigung die Pelasger trotz seiner Un-
schuld auf gemeine Aussagen hin, nur weil er gegen den
Krieg war, umbrachten und um den sie nun, wo er tot ist,
trauern: [85] Ihm als Begleiter und Blutsverwandten schickte
mich mein Vater, mittellos, hierher in den Krieg, jung an
Jahren. Solange Palamedes noch festen Stand hatte, unange-
fochten in seiner Herrschaft und stark war im Rat der Könige, hatte auch ich irgendwie Namen und Ehre. Seitdem er
aber durch die Mißgunst des ränkevollen Ulixes [90] – damit
sag ich nichts Neues – aus den Zonen des Lichtes scheiden
mußte, schleppte ich niedergeschlagen mein Leben dahin in
finsterer Trauer und empfand tiefe Empörung über das Verderben des schuldlosen Freundes. Ich Narr konnte nicht
schweigen und versprach, falls der Zufall es gäbe und ich je
siegreich zurückkehrte ins heimatliche Argos, [95] ihn zu rächen, und mit solchen Worten weckte ich erbitterten Haß.
Damit begann mein Sturz ins Unglück, von da an schreckte
mich Ulixes fortwährend mit neuen Beschuldigungen, von
da an streute er unters Volk zweideutige Worte und suchte
gezielt nach Mitteln und Wegen. Und er gab wirklich keine
Ruhe, bis er mit Unterstützung des Calchas ... [100] Doch
wozu hole ich eigentlich umsonst diese leidvollen Dinge
hervor, wozu vertue ich die Zeit? Wenn ihr alle Achiver auf
eine Stufe stellt und es euch reicht, diesen Namen zu hören,
so vollzieht jetzt gleich eure Strafe: Das ist's, was der Ithaker möchte und euch teuer bezahlen dürften die Atriden.‹

Nun aber sind wir brennend darauf aus, uns weiter zu er-
kundigen und nach Gründen zu forschen, [105] ohne Ah-
nung von solch schweren Verbrechen und pelasgischer Raffiniertheit. Ängstlich zitternd fährt Sinon fort und spricht
aus falschem Herzen:

›Mehrmals hatten die Danaer den Wunsch, Troia zu verlassen, die Flucht zu bewerkstelligen und, erschöpft von

fecissentque utinam!   saepe illos aspera ponti   110
interclusit hiems et terruit Auster euntis.
praecipue cum iam hic trabibus contextus acernis
staret equus, toto sonuerunt aethere nimbi.
suspensi Eurypylum scitatum oracula Phoebi
mittimus, isque adytis haec tristia dicta reportat: 115
'sanguine placastis ventos et virgine caesa,
cum primum Iliacas, Danai, venistis ad oras;
sanguine quaerendi reditus animaque litandum
Argolica.'   vulgi quae vox ut venit ad auris,
obstipuere animi gelidusque per ima cucurrit   120
ossa tremor, cui fata parent, quem poscat Apollo.
hic Ithacus vatem magno Calchanta tumultu
protrahit in medios; quae sint ea numina divum
flagitat.   et mihi iam multi crudele canebant
artificis scelus, et taciti ventura videbant.   125
bis quinos silet ille dies tectusque recusat
prodere voce sua quemquam aut opponere morti.
vix tandem, magnis Ithaci clamoribus actus,
composito rumpit vocem et me destinat arae.
adsensere omnes et, quae sibi quisque timebat,   130
unius in miseri exitium conversa tulere.
iamque dies infanda aderat; mihi sacra parari
et salsae fruges et circum tempora vittae.
eripui, fateor, leto me et vincula rupi,
limosoque lacu per noctem obscurus in ulva   135
delitui dum vela darent, si forte dedissent.

dem langen Krieg, davonzukommen: Hätten sie's doch nur
getan! Oft hielten rauhe Stürme auf See sie [110] am Land
fest und schreckte sie der Schirokko beim Aufbruch. Besonders als dann dieses aus Ahornbalken gezimmerte Pferd
hier stand, da tosten am ganzen Himmel die Stürme. In
ängstlicher Spannung schicken wir Eurypylus, das Orakel
des Phoebus zu befragen, und er bringt vom Heiligtum
diese unheilkündende Botschaft: [115] „Mit Blut habt ihr die
Winde besänftigt, mit dem Opfer eines Mädchens, als ihr
seinerzeit, Danaer, zu Iliums Küsten gekommen; mit Blut
müßt ihr die Rückkehr in die Heimat erkaufen, ein Leben
aus Argos ist als Opfer gefordert." Als die Leute dieses
Wort vernahmen, waren sie wie vom Donner gerührt, und
ein eisiger Schauer lief ihnen durch Mark [120] und Bein:
Wem mochte das Schicksal solches bereiten, wen Apollo
fordern? In diesem Augenblick zerrt der Ithaker den Seher
Calchas unter großem Lärm in die Mitte: Was denn diese
Winke der Götter bedeuteten, verlangt er ungestüm zu wissen. Und schon waren da viele, die mir eine grausame Untat
des Meisters der Tücke prophezeiten und doch schweigend
sahen, was da kommen sollte. [125] Zehn Tage schweigt Calchas, er hält sich versteckt und wehrt sich, irgendeinen
durch sein Wort preiszugeben und damit dem Tod zu über-
antworten. Nur mit Mühe stößt er endlich, vom lauten Geschrei des Ithakers getrieben, wie vereinbart den Spruch
hervor und bestimmt damit mich für den Altar. Einverstan-
den waren sie alle und nahmen es hin, daß das Unheil, welches ein jeder für sich schon befürchten mußte, [130] sich
nun in das Verderben eines einzigen armseligen Menschen
verkehrt hatte. Und schon war der unsägliche Tag gekommen; für mich bereitete man die Opferhandlung, mit Salz
vermengten Schrot und, um meine Schläfen zu winden, die
Bänder. Ich entriß mich dem Tod, das sage ich offen, brach
meine Fesseln, und an einem sumpfigen Gewässer versteckte ich mich während der Nacht unsichtbar im Schilf
[135] und wartete darauf, daß sie die Segel setzten, falls sie es

nec mihi iam patriam antiquam spes ulla videndi
nec dulcis natos exoptatumque parentem,
quos illi fors et poenas ob nostra reposcent
effugia, et culpam hanc miserorum morte piabunt.   140
quod te per superos et conscia numina veri,
per si qua est quae restet adhuc mortalibus usquam
intemerata fides, oro, miserere laborum
tantorum, miserere animi non digna ferentis."

    His lacrimis vitam damus et miserescimus ultro.   145
ipse viro primus manicas atque arta levari
vincla iubet Priamus dictisque ita fatur amicis:
"quisquis es, amissos hinc iam obliviscere Graios
(noster eris) mihique haec edissere vera roganti:
quo molem hanc immanis equi statuere? quis auctor?   150
quidue petunt? quae religio? aut quae machina belli?"
dixerat. ille dolis instructus et arte Pelasga
sustulit exutas vinclis ad sidera palmas:
"vos, aeterni ignes, et non violabile vestrum
testor numen," ait, "vos arae ensesque nefandi,   155
quos fugi, vittaeque deum, quas hostia gessi:
fas mihi Graiorum sacrata resolvere iura,
fas odisse viros atque omnia ferre sub auras,
si qua tegunt, teneor patriae nec legibus ullis.
tu modo promissis maneas servataque serves   160
Troia fidem, si vera feram, si magna rependam.
omnis spes Danaum et coepti fiducia belli

denn überhaupt täten. Ich habe jetzt keinerlei Hoffnung
mehr, die alte Heimat wiederzusehen, die lieben Kinder und
den Vater, nach dem ich mich sehne; sie werden die Griechen vielleicht büßen lassen für meine Flucht und diese
meine Schuld durch den Tod der Unglückseligen sühnen.
[140] Darum, bei den Göttern droben und den Mächten, die
um die Wahrheit wissen, bei der unverletzten Treue, von
der vielleicht irgendwo noch ein Rest den Menschen geblieben, bitte ich dich, hab Erbarmen mit so schwerem Leid,
hab Erbarmen mit einem Menschen, der tragen muß, was er
nicht verdient hat.‹

   Von seinen Tränen gerührt schenken wir ihm das Leben
und obendrein unser Mitleid. [145] Priamus selbst gebietet
allen voran, ihm die Handfesseln und die einschnürenden
Stricke abzunehmen, und richtet an ihn diese freundlichen
Worte: ›Wer du auch bist, vergiß von jetzt an die dir verlo-
renen Griechen – du wirst einer der Unseren sein! – und be-
antworte mir, der ich die Wahrheit wissen will, folgende
Fragen: Wozu haben sie den massigen Leib des riesigen
Pferdes aufgestellt? Wer hat den Anstoß gegeben? [150] Was
wollen sie denn erreichen? Welch eine Kultgabe ist das?
Oder welch ein Kriegsgerät?‹ Dies waren die Worte des
Priamus. Jener, geschult in List und Findigkeit der Pelasger,
erhob zu den Sternen seine von Fesseln befreiten Hände:
›Euch rufe ich als Zeugen an, ihr ewige Feuer in eurer un-
verletzlichen Allmacht‹, so betete er, ›ihr Altäre und ihr ver-
ruchten Schwerter, [155] denen ich entflohen, und Bänder
der Götter, die ich als Opfer getragen: Ich habe das Recht,
die heiligen Satzungen der Griechen zu verletzen, das
Recht, diese Menschen zu hassen und alles ans Tageslicht zu
bringen, was sie verheimlichen, fühle mich auch durch keinerlei Gesetz der Heimat gebunden. Du, Troia, bleibe bitte
bei deinem Versprechen und bewahre, wenn du bewahrt geblieben, [160] mir deine Treue, falls ich die Wahrheit sage,
falls ich Großes mit Großem vergelte. Alle Hoffnung der
Danaer und ihr Vertrauen auf den eröffneten Krieg ruhten

Palladis auxiliis semper stetit. impius ex quo
Tydides sed enim scelerumque inventor Ulixes,
fatale adgressi sacrato avellere templo   165
Palladium caesis summae custodibus arcis,
corripuere sacram effigiem manibusque cruentis
virgineas ausi divae contingere vittas,
ex illo fluere ac retro sublapsa referri
spes Danaum, fractae vires, aversa deae mens.   170
nec dubiis ea signa dedit Tritonia monstris.
vix positum castris simulacrum: arsere coruscae
luminibus flammae arrectis, salsusque per artus
sudor iit, terque ipsa solo (mirabile dictu)
emicuit parmamque ferens hastamque trementem.   175
extemplo temptanda fuga canit aequora Calchas,
nec posse Argolicis exscindi Pergama telis
omina ni repetant Argis numenque reducant
quod pelago et curvis secum avexere carinis.
et nunc quod patrias vento petiere Mycenas,   180
arma deosque parant comites pelagoque remenso
improvisi aderunt; ita digerit omina Calchas.
hanc pro Palladio moniti, pro numine laeso
effigiem statuere, nefas quae triste piaret.
hanc tamen immensam Calchas attollere molem   185
roboribus textis caeloque educere iussit,
ne recipi portis aut duci in moenia posset,
neu populum antiqua sub religione tueri.
nam si vestra manus violasset dona Minervae,
tum magnum exitium (quod di prius omen in ipsum   190
convertant!) Priami imperio Phrygibusque futurum;

von jeher auf der Unterstützung der Pallas. Aber seit der
Frevler, Tydeus' Sohn, und Ulixes, der Anstifter aller Verbrechen, dazu ansetzten, aus dem heiligen Bezirk des Tempels gewaltsam zu holen das schicksalbestimmende [165]
Palladium und nach der Ermordung der Wächter hoch oben
auf der Burg das heilige Bildnis raubten, seit sie mit blut-
befleckten Händen wagten, die Bänder der jungfräulichen
Gottheit zu berühren, seit dieser Zeit zerfloß, versickerte
und versiegte endlich die Hoffnung der Danaer, zerbrach
ihre Kraft, wandte die Göttin ihr Herz ab. [170] In eindeuti-
gen Zeichen gab dies Tritonia zu erkennen: Kaum war ihr
Bild im Lager aufgestellt, da züngelten zuckende Flammen
aus den weitgeöffneten Augen, und salziger Schweiß lief
über die Glieder, dreimal – ein unbeschreibliches Wunder –
sprang die Göttin vom Boden auf, den Schild in der Hand
und die zitternde Lanze. [175] Sogleich verkündet Calchas,
man solle sich eilends aufs Meer wagen, auch könne Pergamum nicht unter Griechenwaffen fallen, wenn sie nicht
neue Auspizien aus Argos einholten und die Gottheit zu-
rückbrächten (die sie inzwischen übers Meer weggeschafft
haben im Bauch ihrer Schiffe; und wenn sie jetzt unter günstigem Wind das heimatliche Mykene erreicht haben, [180]
so verschaffen sie sich Waffen und göttliche Begleitung und
werden, ist das Meer erneut durchmessen, unvermutet wieder hier sein). So jedenfalls legte Calchas die Zeichen aus.
Auf seine Warnung hin errichteten sie dieses Gebilde zum
Ausgleich für das Palladium, für die Verletzung der Gottheit, damit es den unheilbringenden Frevel sühne. Calchas
allerdings gebot, dieses Bauwerk riesengroß zu errichten
[185] aus gefügtem Holz und zum Himmel emporzutürmen,
damit es nicht durch die Tore passe und in die Festung geholt werden könne und so auch nicht euer Volk mit der
Kraft des einstigen Kultbildes beschütze. Denn würde eure
Hand das Geschenk der Minerva entweihn, dann drohte
tiefer Sturz (ach, kehrten die Götter dies Zeichen doch lieber gegen ihn selbst!) [190] der Herrschaft des Priamus und

sin manibus vestris vestram ascendisset in urbem,
ultro Asiam magno Pelopea ad moenia bello
venturam, et nostros ea fata manere nepotes."
  Talibus insidiis periurique arte Sinonis   195
credita res, captique dolis lacrimisque coactis
quos neque Tydides nec Larisaeus Achilles,
non anni domuere decem, non mille carinae.
  Hic aliud maius miseris multoque tremendum
obicitur magis atque improvida pectora turbat.   200
Laocoon, ductus Neptuno sorte sacerdos,
sollemnis taurum ingentem mactabat ad aras.
ecce autem gemini a Tenedo tranquilla per alta
(horresco referens) immensis orbibus angues
incumbunt pelago pariterque ad litora tendunt;   205
pectora quorum inter fluctus arrecta iubaeque
sanguineae superant undas, pars cetera pontum
pone legit sinuatque immensa volumine terga.
fit sonitus spumante salo; iamque arva tenebant
ardentisque oculos suffecti sanguine et igni   210
sibila lambebant linguis vibrantibus ora.
diffugimus visu exsangues.   illi agmine certo
Laocoonta petunt; et primum parva duorum
corpora natorum serpens amplexus uterque
implicat et miseros morsu depascitur artus;   215
post ipsum auxilio subeuntem ac tela ferentem
corripiunt spirisque ligant ingentibus; et iam
bis medium amplexi, bis collo squamea circum
terga dati superant capite et cervicibus altis.

den Phrygern; stiege es aber durch eurer Hände Kraft hinauf in eure Stadt, so bräche umgekehrt Asien in einem großen Krieg über die Mauern des Pelops herein, und dieses Geschick harrte unserer Enkel.‹

Durch solche Hinterlist und die Geschicklichkeit des verlogenen Sinon [195] fand die Sache Glauben, und so ließen sie sich fangen durch Tücke und hervorgepreßte Tränen, sie, die weder der Tydeussohn noch Achilles, der Held aus Larissa, nicht zehn Jahre, nicht tausend Schiffe bezwangen.

In diesem Zustand nun kommt über die unglücklichen Menschen ein anderes, bedeutenderes und weit mehr noch ängstigendes Ereignis und stürzt die fassungslosen Troianer in Verwirrung. [200] Laocoon, durchs Los erwählt zum Priester für Neptunus, war dabei, einen gewaltigen Stier feierlich am Altar zu opfern: Doch sieh, da streckt sich von Tenedos her durch ruhige See – mir graut noch jetzt beim Erzählen – in riesigen Windungen ein Schlangenpaar auf dem Wasser aus und strebt vereint auf die Küste zu; [205] hoch aufgerichtet erscheinen inmitten der Fluten ihre Brüste, und ihre Kämme ragen blutrot aus den Wogen; der übrige Körper dahinter gleitet auf dem Wasser und krümmt in riesigem Bogen den Rücken. Ein Rauschen kommt auf vom Schäumen der Flut; schon haben sie festen Boden erreicht, ihre brennenden Augen sind blutunterlaufen und feuerrot, [210] zischend lecken sie ihre Mäuler mit zuckender Zunge. Leichenblaß ergreifen wir bei dem Anblick die Flucht. Sie bewegen sich in geordnetem Zug auf Laocoon zu; und die kindlichen Körper der zwei Söhne zuerst schließen die beiden Schlangen ein, legen sich in Windungen um sie, beißen zu und fressen das Fleisch von den armseligen Gliedern. [215] Danach fallen sie über den Vater her, der mit Waffen in den Händen zu Hilfe eilt, und schnüren ihn in riesigen Windungen ein; schon haben zweimal sie ihn in der Mitte umschlungen, zweimal um seinen Hals die schuppigen Rücken gewunden und ragen empor über ihn mit ihren Köpfen und gestreckten Nacken. Er müht sich, mit den

ille simul manibus tendit divellere nodos   220
perfusus sanie vittas atroque veneno,
clamores simul horrendos ad sidera tollit:
qualis mugitus, fugit cum saucius aram
taurus et incertam excussit cervice securim.
at gemini lapsu delubra ad summa dracones   225
effugiunt saevaeque petunt Tritonidis arcem,
sub pedibusque deae clipeique sub orbe teguntur.
tum vero tremefacta novus per pectora cunctis
insinuat pavor, et scelus expendisse merentem
Laocoonta ferunt, sacrum qui cuspide robur   230
laeserit et tergo sceleratam intorserit hastam.
ducendum ad sedes simulacrum orandaque divae
numina conclamant.
   Dividimus muros et moenia pandimus urbis.
accingunt omnes operi pedibusque rotarum   235
subiciunt lapsus, et stuppea vincula collo
intendunt; scandit fatalis machina muros
feta armis.   pueri circum innuptaeque puellae
sacra canunt funemque manu contingere gaudent;
illa subit mediaeque minans inlabitur urbi.   240
o patria, o divum domus Ilium et incluta bello
moenia Dardanidum! quater ipso in limine portae
substitit atque utero sonitum quater arma dedere;
instamus tamen immemores caecique furore
et monstrum infelix sacrata sistimus arce.   245
tunc etiam fatis aperit Cassandra futuris
ora dei iussu non umquam credita Teucris.
nos delubra deum miseri, quibus ultimus esset
ille dies, festa velamus fronde per urbem.

Händen die Knoten zu sprengen, [220] seine Priesterbinden
triefen von Geifer und schwärzlichem Gift, und gleichzeitig
schickt er grauenvolle Schreie hinauf zu den Sternen: So
klingt das Brüllen eines Stieres, wenn er verletzt vom Altar
flieht und vom Nacken abwirft das ungenau geführte Beil.
Doch das Schlangenpaar gleitet davon und flüchtet ganz
oben hinauf zum Tempel, [225] strebt hin zur Burg der
grausamen Gottheit vom Triton und verbirgt sich zu den
Füßen der Göttin unter dem Rund ihres Schildes. Da
dringt vollends allen ins schon bebende Herz neue Angst,
und gerechte Strafe habe für sein Verbrechen Laocoon er-
litten, sagen sie, da er doch das der Gottheit geweihte Holz
durch seinen Spieß [230] verletzte, in dessen Rücken bohrte
die verfluchte Lanze. Man müsse das Bild zum Sitz der
Gottheit ziehen und deren Macht anflehen, rufen sie ein-
hellig.

Wir durchbrechen die Mauern und öffnen damit den
Festungsring der Stadt. Es machen sich alle ans Werk; unter
die Füße des Pferdes schieben sie Rollen [235] zum Gleiten,
und Stricke aus Hanf schlingen sie ihm um den Hals: Es
überquert die Mauern das verhängnisvolle Gebilde, waffen-
trächtig. Junge Männer ringsum und unverheiratete junge
Frauen singen Hymnen und berühren freudig das Seil mit
den Händen; das Pferd rückt näher und gleitet bedrohlich
zum Stadtkern hin. [240] Arme Heimat, armes Ilium, Wohn-
statt der Götter, du Dardanerfestung, die der Krieg berühmt gemacht! Viermal, genau auf der Schwelle des Tores,
kam es zum Stehen, und in seinem Bauch klirrten viermal
die Waffen; gleichwohl drängen wir weiter ohne Bedenken
und blind in unserem Wahn und stellen das unheilvolle Un-
getüm auf unseren heiligen Burgberg. [245] Auch da noch
öffnete Cassandra zur Prophezeiung des Schicksals den
Mund, dessen Worte auf Geheiß der Gottheit doch niemals
Glauben fanden bei den Teucrern. Wir Unglücklichen, für
die dieser Tag der letzte sein sollte, schmücken die Tempel
der Götter mit festlichem Grün überall in der Stadt.

Zu 2,154–233

Zu 2,234–249

   Vertitur interea caelum et ruit Oceano nox   250
involvens umbra magna terramque polumque
Myrmidonumque dolos; fusi per moenia Teucri
conticuere; sopor fessos complectitur artus.
et iam Argiva phalanx instructis navibus ibat
a Tenedo tacitae per amica silentia lunae   255
litora nota petens, flammas cum regia puppis
extulerat, fatisque deum defensus iniquis
inclusos utero Danaos et pinea furtim
laxat claustra Sinon.   illos patefactus ad auras
reddit equus laetique cavo se robore promunt   260
Thessandrus Sthenelusque duces et dirus Ulixes,
demissum lapsi per funem, Acamasque Thoasque
Pelidesque Neoptolemus primusque Machaon
et Menelaus et ipse doli fabricator Epeos.
invadunt urbem somno vinoque sepultam;   265
caeduntur vigiles, portisque patentibus omnis
accipiunt socios atque agmina conscia iungunt.
   Tempus erat quo prima quies mortalibus aegris
incipit et dono divum gratissima serpit.
in somnis, ecce, ante oculos maestissimus Hector   270
visus adesse mihi largosque effundere fletus,
raptatus bigis ut quondam, aterque cruento
pulvere perque pedes traiectus lora tumentis.
ei mihi, qualis erat, quantum mutatus ab illo
Hectore qui redit exuvias indutus Achilli   275
vel Danaum Phrygios iaculatus puppibus ignis!
squalentem barbam et concretos sanguine crinis

Indessen dreht sich das Himmelsgewölbe, und aus dem
Oceanus schwingt empor sich die Nacht, [250] hüllt in tiefen
Schatten die Erde, das Himmelszelt und die Listen der Myrmidonen; die Teucrer, zur Ruhe gelagert im Schutz der
Mauern, sind still geworden; Schlaf umfängt ihre ermüdeten
Glieder. Und schon kam die Streitmacht der Argiver im ge-
ordneten Zug ihrer Schiffe von Tenedos her in der freundlichen Stille des verschwiegenen Mondes [255] und hielt nun
auf das bekannte Gestade zu, als ein Feuerzeichen vom Königsschiff aufgeflammt war; zugleich befreit unter dem
Schutz eines feindlichen Schicksalsspruches der Götter Sinon heimlich die im Bauch eingeschlossenen Danaer, indem
er die Riegel aus Fichtenholz löst. So geöffnet entläßt das
Pferd die Männer ans Licht; frohgestimmt kommen hervor
aus der hölzernen Höhle [260] Thessandrus und Sthenelus,
die beiden Führer, und der gräßliche Ulixes, an einem nie-
dergelassenen Seil herabgeglitten, dazu Acamas, Thoas, der
Peleusenkel Neoptolemus, allen voran Machaon, auch Menelaus und der Erbauer des Täuschungswerks selbst, Epeos.
Sie stürmen eine in Schlaf und Rausch versunkene Stadt;
[265] niedergemacht werden die Wachen, und durch die of-
fenstehenden Tore lassen sie all ihre Mitstreiter herein und
schließen sich zu verschworenen Haufen zusammen.

Die Stunde war's, zu der eine erste Ruhe über die er-
schöpften Menschen kommt und sich, von den Göttern geschenkt, hochwillkommen in ihren Gliedern verbreitet.
Sieh, da war mir im Traum, als stehe mir vor Augen Hector,
in tiefer Trauer, [270] und vergieße reiche Tränen: Er sah aus
wie einst, vom Zweigespann dahingeschleift und schwarz
vom blutig verkrusteten Staub, durch seine aufgeschwolle-
nen Füße waren Riemen gezogen. Weh mir, in welch klägli-
cher Verfassung war er, wie sehr verändert gegenüber dem
Hector, der aus dem Kampf zurückkehrte in der Rüstung
des Achilles [275] oder phrygische Feuerbrände auf die Da-
naerschiffe schleuderte! Von Schmutz starrte sein Bart, blut-
verklebt waren seine Haare, und er trug die Wunden, die er

Zu 2,254–267

Zu 2,268–297

vulneraque illa gerens, quae circum plurima muros
accepit patrios.   ultro flens ipse videbar
compellare virum et maestas expromere voces: 280
"o lux Dardaniae, spes o fidissima Teucrum,
quae tantae tenuere morae?   quibus Hector ab oris
exspectate venis?   ut te post multa tuorum
funera, post varios hominumque urbisque labores
defessi aspicimus!   quae causa indigna serenos   285
foedavit vultus?   aut cur haec vulnera cerno?"
ille nihil, nec me quaerentem vana moratur,
sed graviter gemitus imo de pectore ducens,
"heu fuge, nate dea, teque his" ait "eripe flammis.
hostis habet muros; ruit alto a culmine Troia.   290
sat patriae Priamoque datum: si Pergama dextra
defendi possent, etiam hac defensa fuissent.
sacra suosque tibi commendat Troia penatis;
hos cape fatorum comites, his moenia quaere
magna pererrato statues quae denique ponto."   295
sic ait et manibus vittas Vestamque potentem
aeternumque adytis effert penetralibus ignem.

    Diverso interea miscentur moenia luctu,
et magis atque magis, quamquam secreta parentis
Anchisae domus arboribusque obtecta recessit,   300
clarescunt sonitus armorumque ingruit horror.
excutior somno et summi fastigia tecti
ascensu supero atque arrectis auribus asto:
in segetem veluti cum flamma furentibus Austris
incidit, aut rapidus montano flumine torrens   305
sternit agros, sternit sata laeta boumque labores

in reicher Zahl empfangen im Kampf um die Mauern der
Vaterstadt. Überdies, so träumte mir, redete ich, selbst in
Tränen, den Helden an und stieß traurig die Worte hervor:
[280] ›Leuchte der Dardaner, du verläßlichste Hoffnung der
Teucrer, was war es, das dich so lange fernhielt, von welchen Gestaden, Hector, kommst du, auf den wir sehnlich
warten? Wie müssen wir dich nach vielfachem Tod der Deinen, nach vielfältiger Mühsal für Menschen und Stadt erschöpft nun erblicken! Welcher entwürdigende Umstand
hat deine heiteren [285] Züge entstellt, oder warum muß ich
diese Wunden sehen?‹ Er antwortet nichts, hält sich auch
nicht auf mit meinen sinnlosen Fragen, sondern seufzt
schwer aus tiefster Brust und spricht: ›Wehe, flieh, Sohn der
Göttin, und rette dich aus diesem Flammenmeer. Die Mauern sind in der Hand des Feindes, hoch vom Gipfel stürzt
Troia. [290] Genug ist für die Vaterstadt und für Priamus getan: Wenn Pergamum durch Menschenhand gerettet werden
könnte, so wäre es noch durch meine Hand gerettet worden. Was ihm heilig ist, vertraut Troia dir an, und seine Penaten; sie nimm, damit sie deinen vom Schicksal bestimmten Auftrag begleiten, für sie suche die Stadt, die du wuchtig
schließlich errichten wirst, wenn die Irrfahrten auf dem
Meer ein Ende gefunden haben.‹ [295] So spricht er und
trägt das mit Bändern geschmückte Bild der mächtigen
Vesta herbei und ihr ewiges Feuer aus dem innersten Raum
des Tempels.

Aus allen Richtungen ertönt mittlerweile Wehgeschrei in
der Stadt, und lauter und immer lauter wird, obwohl das
Haus meines Vaters Anchises abseits für sich und von Bäumen verdeckt liegt, [300] das Lärmen, und näher kommen die
grauenerregenden Waffen. Ich reiße mich aus dem Schlaf,
laufe schnell hinauf zur höchsten Stelle des Hauses oben auf
dem Dach, bleibe dort stehen und horche angespannt: Es ist,
wie wenn Feuer in ein Kornfeld fährt bei brausendem Südwind oder ein Wildbach, reißend vom Bergwasser, [305]
Äcker niederwalzt, üppiges Wachstum und die Arbeit der

praecipitisque trahit silvas; stupet inscius alto
accipiens sonitum saxi de vertice pastor.
tum vero manifesta fides, Danaumque patescunt
insidiae.   iam Deiphobi dedit ampla ruinam   310
Volcano superante domus, iam proximus ardet
Ucalegon; Sigea igni freta lata relucent.
exoritur clamorque virum clangorque tubarum.
arma amens capio; nec sat rationis in armis,
sed glomerare manum bello et concurrere in arcem   315
cum sociis ardent animi; furor iraque mentem
praecipitat, pulchrumque mori succurrit in armis.

   Ecce autem telis Panthus elapsus Achivum,
Panthus Othryades, arcis Phoebique sacerdos,
sacra manu victosque deos parvumque nepotem   320
ipse trahit cursuque amens ad limina tendit.
"quo res summa loco, Panthu? quam prendimus arcem?"
vix ea fatus eram gemitu cum talia reddit:
"venit summa dies et ineluctabile tempus
Dardaniae.   fuimus Troes, fuit Ilium et ingens   325
gloria Teucrorum; ferus omnia Iuppiter Argos
transtulit; incensa Danai dominantur in urbe.
arduus armatos mediis in moenibus astans
fundit equus victorque Sinon incendia miscet
insultans.   portis alii bipatentibus adsunt,   330
milia quot magnis umquam venere Mycenis;
obsedere alii telis angusta viarum
oppositis; stat ferri acies mucrone corusco
stricta, parata neci; vix primi proelia temptant
portarum vigiles et caeco Marte resistunt."   335

Ochsen niederwalzt und Bäume jäh in die Tiefe reißt; ent-
setzt und ahnungslos vernimmt das Getöse der Hirt von
der Höhe des Felsens. Da ist nun die ganze Wahrheit offen-
kundig, die heimtückische Machenschaft der Danaer kommt
ans Licht. Schon ist in sich zusammengestürzt das stattliche
Haus des Deiphobus, [310] vom Feuer besiegt, schon brennt
nebenan das des Ucalegon; die Bucht von Sigeum ist weithin erleuchtet vom Widerschein des Feuers. Laut erhebt
sich Männergeschrei und Trompetenklang. Wie von Sinnen
greife ich zu den Waffen; doch hinreichend überlegt ist der
Griff zu den Waffen nicht; sondern einen Trupp für den
Kampf zusammenzuholen und zur Burg zu stürmen [315]
mit Begleitern, ist mein brennender Wunsch; rasender Zorn
läßt die Gedanken sich überstürzen, und die Vorstellung
drängt sich mir auf, schön sei es, zu sterben in Waffen.
   Doch sieh, da kommt Panthus, entronnen den Spießen
der Achiver, Panthus, der Sohn des Othrys, Priester der
Burg und des Phoebus; er schleppt in seinen Händen Kult-
gerät, die besiegten Götter und den kleinen Enkelsohn [320]
und läuft verstört auf unser Haus zu. ›An welchem Ort ent-
scheidet sich alles, Panthus? In welchem Zustand treffen wir
die Burg an?‹ Kaum hatte ich das gesagt, da erwidert er
stöhnend: ›Gekommen ist der letzte Tag und das unver-
meidliche Ende Dardaniens. Troer waren wir einmal, Ilium
war einmal und der gewaltige [325] Ruhm der Teucrer; hart-
herzig hat Iuppiter Argos alles übereignet; in der brennenden Stadt sind die Danaer die Herren. Hochaufragend steht
inmitten unserer Mauern das Pferd und spuckt Bewaffnete
aus, und Sinon, der Sieger, legt johlend Brand um Brand.
An den zweiflügeligen Toren stehen die einen, [330] so viele
Tausende, wie jemals herüberkamen vom großen Mykene;
andere halten die engen Straßen besetzt, die Waffen gegen
uns gerichtet; es droht das scharfe Schwert mit funkelnder
Schneide gezückt, zum Töten bereit; kaum wagen ganz vorn
die Torwachen das Gefecht und leisten Widerstand im unüberschaubaren Wirrwarr des Kampfes.‹ [335] Von solchem

talibus Othryadae dictis et numine divum
in flammas et in arma feror, quo tristis Erinys,
quo fremitus vocat et sublatus ad aethera clamor.
addunt se socios Rhipeus et maximus armis
Epytus, oblati per lunam, Hypanisque Dymasque   340
et lateri adglomerant nostro, iuvenisque Coroebus
Mygdonides – illis ad Troiam forte diebus
venerat insano Cassandrae incensus amore
et gener auxilium Priamo Phrygibusque ferebat,
infelix qui non sponsae praecepta furentis   345
audierit!
   Quos ubi confertos audere in proelia vidi,
incipio super his: "iuvenes, fortissima frustra
pectora, si vobis audendi extrema cupido
certa sequi, quae sit rebus fortuna videtis: 350
excessere omnes adytis arisque relictis
di quibus imperium hoc steterat; succurritis urbi
incensae.   moriamur et in media arma ruamus.
una salus victis nullam sperare salutem."
sic animis iuvenum furor additus.   inde, lupi ceu   355
raptores atra in nebula, quos improba ventris
exegit caecos rabies catulique relicti
faucibus exspectant siccis, per tela, per hostis
vadimus haud dubiam in mortem mediaeque tenemus
urbis iter; nox atra cava circumvolat umbra.   360
quis cladem illius noctis, quis funera fando
explicet aut possit lacrimis aequare labores?
urbs antiqua ruit multos dominata per annos;
plurima perque vias sternuntur inertia passim
corpora perque domos et religiosa deorum   365
limina.   nec soli poenas dant sanguine Teucri;

Wort des Othryssohnes und dem Willen der Götter getrieben stürze ich fort ins Flammenmeer und in den Kampf,
wohin die düstere Erinys, wohin das Lärmen mich ruft und
das zum Himmel schallende Kriegsgeschrei. Unterwegs
schließen sich mir an Rhipeus und der waffengewaltige
Epytus, aufgetaucht beide im Mondlicht, auch Hypanis und
Dymas, [340] und sie scharen sich dicht an unsere Seite, dazu
der junge Coroebus, Mygdons Sohn: In jenen Tagen war er
gerade nach Troia gekommen, ohne Sinn und Verstand in
Cassandra verliebt; als Schwiegersohn wollte er helfen dem
Priamus und den Phrygern, ein Unglücksmensch, da er auf
die prophetischen Weisungen seiner Braut nicht [345] hörte!

Als ich gesehen, wie sie, ein geschlossener Trupp, wage-
mutig den Kampf suchen, füge ich dies noch hinzu: ›Männer, ohnmächtige Helden, wenn euch wirklich danach verlangt, in eurem Wagemut bis zum Äußersten zu gehen, ihr
seht, welches Schicksal unserem Gemeinwesen beschieden
ist: [350] Fort sind, nachdem sie Tempel und Altäre verlassen, alle Götter, in deren Macht dieses Reich fest gegründet
war; ihr eilt einer Stadt zu Hilfe, die in Flammen steht. Laßt
uns also sterben und ins Kampfgewühl stürmen. Ein Heil
nur gibt's für Besiegte: kein Heil zu erhoffen.‹ So gesellte
sich Wut zur Tapferkeit der Männer. Sodann ziehen wir –
wie räuberische Wölfe [355] im düsteren Nebel, die das uner-
sättliche Grimmen ihres Bauches blindlings hinaustrieb und
die ihre im Bau zurückgelassenen Jungen mit lechzenden
Rachen erwarten – durch Geschoßhagel, durch Feindesscha-
ren in einen sicheren Tod und schlagen den Weg zur Mitte
der Stadt ein; finstere Nacht umflattert uns und hüllt uns in
ihren Schatten. [360] Wer könnte das Unheil dieser Nacht,
wer das Sterben in Worte fassen oder vermöchte durch Tränen unserem Leid zu entsprechen? Eine alte Stadt geht unter nach vielen Jahren der Herrschaft; ohne Zahl liegen hin-
gestreckt überall in den Straßen regungslos die Leichen,
auch in den Häusern und selbst auf den geheiligten [365]
Schwellen der Götter. Doch nicht allein Teucrer zahlen mit

Zu 2,318–346

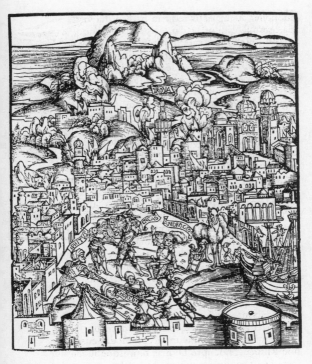

Zu 2,370–401

quondam etiam victis redit in praecordia virtus
victoresque cadunt Danai. crudelis ubique
luctus, ubique pavor et plurima mortis imago.
  Primus se Danaum magna comitante caterva   370
Androgeos offert nobis, socia agmina credens
inscius, atque ultro verbis compellat amicis:
"festinate, viri! nam quae tam sera moratur
segnities? alii rapiunt incensa feruntque
Pergama: vos celsis nunc primum a navibus itis?"   375
dixit, et extemplo (neque enim responsa dabantur
fida satis) sensit medios delapsus in hostis.
obstipuit retroque pedem cum voce repressit.
improvisum aspris veluti qui sentibus anguem
pressit humi nitens trepidusque repente refugit   380
attollentem iras et caerula colla tumentem,
haud secus Androgeos visu tremefactus abibat.
inruimus densis et circumfundimur armis,
ignarosque loci passim et formidine captos
sternimus; aspirat primo Fortuna labori.   385
atque hic successu exsultans animisque Coroebus
"o socii, qua prima" inquit "Fortuna salutis
monstrat iter, quaque ostendit se dextra, sequamur:
mutemus clipeos Danaumque insignia nobis
aptemus. dolus an virtus, quis in hoste requirat?   390
arma dabunt ipsi." sic fatus deinde comantem
Androgei galeam clipeique insigne decorum
induitur laterique Argivum accommodat ensem.
hoc Rhipeus, hoc ipse Dymas omnisque iuventus
laeta facit: spoliis se quisque recentibus armat.   395

ihrem Blut; zuweilen kehrt auch den Besiegten der Mut von Männern ins Herz zurück, und es fallen siegreiche Danaer. Allenthalben quälende Trauer, allenthalben Entsetzen und überall das Bild des Todes.

Als erster der Danaer kreuzt, von einer großen Schar begleitet, [370] Androgeos unseren Weg; ahnungslos glaubt er eine Gruppe von Kameraden vor sich und ruft uns spontan und freundschaftlich zu: ›Beeilt euch, Leute! Welch eine Trägheit läßt euch denn so lange ausbleiben? Andere rauben das brennende Pergamum völlig aus: Und ihr kommt jetzt erst von den hochragenden Schiffen daher?‹ [375] Das waren seine Worte, und alsbald – denn er erhielt keine recht verläßliche Antwort – merkte er, daß er geradewegs in die Hand der Feinde geraten war. Er fuhr zusammen, hemmte seinen Schritt und sagte kein Wort mehr. Wie ein Mann, der in stachligem Gebüsch unversehens am Boden kräftig auf eine Schlange tritt und in panischem Schrecken augenblicklich zurückweicht [380] vor dem Geschöpf, das sich im Zorn hoch aufbäumt und seinen bläulich schimmernden Hals bläht, so versuchte Androgeos, durch unser Erscheinen verschreckt, zu entrinnen. Wir stürzen los und kreisen sie ein im Gedränge unserer Waffen und strecken die ortsunkundigen und von Angst gelähmten Griechen ringsum zu Boden; anfänglich begünstigt Fortuna unser Bemühen. [385] Da nun ruft im Überschwang des Erfolgs und seiner Kühnheit Coroebus: ›Ihr Freunde, wo zuerst Fortuna einen rettenden Weg weist und wo sie sich freundlich zeigt, wollen wir ihr folgen: Laßt uns die Schilde tauschen und uns Danaerzeichen anheften. List oder Heldenmut, wer fragt wohl danach im Angesicht des Feindes? [390] Sie selbst werden die Waffen liefern.‹ So sprach er, und gleich legt er den buschigen Helm des Androgeos an und dessen Schild mit dem prächtigen Emblem und hängt sich ein Argiverschwert an die Seite. So macht es Rhipeus, so auch Dymas und unsere ganze Mannschaft voll Freude: Jeder bewaffnet sich mit den jüngsten Beutestücken. [395] Wir bewegen uns zwischen den Da-

vadimus immixti Danais haud numine nostro
multaque per caecam congressi proelia noctem
conserimus, multos Danaum demittimus Orco.
diffugiunt alii ad navis et litora cursu
fida petunt; pars ingentem formidine turpi   400
scandunt rursus equum et nota conduntur in aluo.
   Heu nihil invitis fas quemquam fidere divis!
ecce trahebatur passis Priameia virgo
crinibus a templo Cassandra adytisque Minervae
ad caelum tendens ardentia lumina frustra,   405
lumina, nam teneras arcebant vincula palmas.
non tulit hanc speciem furiata mente Coroebus
et sese medium iniecit periturus in agmen;
consequimur cuncti et densis incurrimus armis.
hic primum ex alto delubri culmine telis   410
nostrorum obruimur oriturque miserrima caedes
armorum facie et Graiarum errore iubarum.
tum Danai gemitu atque ereptae virginis ira
undique collecti invadunt, acerrimus Aiax
et gemini Atridae Dolopumque exercitus omnis: 415
adversi rupto ceu quondam turbine venti
confligunt, Zephyrusque Notusque et laetus Eois
Eurus equis; stridunt silvae saevitque tridenti
spumeus atque imo Nereus ciet aequora fundo.
illi etiam, si quos obscura nocte per umbram   420
fudimus insidiis totaque agitavimus urbe,
apparent; primi clipeos mentitaque tela
agnoscunt atque ora sono discordia signant.
ilicet obruimur numero, primusque Coroebus
Penelei dextra divae armipotentis ad aram   425

naern, doch nicht unter dem Schutz unserer Gottheit, geraten mit dem Feind aneinander und tragen viele Gefechte aus
im Dunkel der Nacht, schicken viele der Danaer hinab zum
Orcus. Andere eilen in wilder Flucht zu den Schiffen und
suchen rennend den sicheren Strand zu erreichen; manche
steigen in schmählicher Angst [400] wieder hoch in das riesige Pferd und verbergen sich in dem vertrauten Bauch.

Ach, keiner darf sich irgendwie auf die Götter verlassen,
wenn ihr Wollen fehlt! Siehe, man schleppte die jungfräuliche Tochter des Priamus, Cassandra, mit aufgelöstem Haar
vom Tempel und Allerheiligsten der Minerva weg, zum
Himmel richtete sie die brennenden Augen vergebens, [405]
ihre Augen, denn Fesseln hielten die zarten Hände zurück.
Nicht ertrug diesen Anblick wutentbrannt Coroebus und
stürzte sich, den sicheren Tod vor Augen, mitten ins Gefecht; wir folgen alle und stürmen in ein Gewirr von Waffen. Hier werden wir zunächst vom hohen Dach des Heilig-
tums mit Geschossen [410] der Unsrigen eingedeckt, und es
entsteht ein unsägliches Blutbad, weil das Aussehen der
Waffen täuscht und unsere griechischen Helmbüsche. Da
versammeln sich die Danaer aus Schmerz und Zorn über die
ihnen wieder entrissene Jungfrau von überall her und drängen auf uns ein: der wilde Ajax, die beiden Atriden und das
gesamte Heer der Doloper: [415] Es ist, wie wenn zuweilen
ein Sturm losgebrochen und feindlich die Winde aufeinan-
dertreffen, Zephyrus und Notus und auch Eurus, stolz auf
die Pferde der Eos; da brausen die Wälder, schäumend wütet mit seinem Dreizack Nereus und wühlt das Meer vom
tiefsten Grund auf. [420] Jene sogar, die wir etwa in finsterer
Nacht durch das Dunkel jagten mit Hilfe unserer List und
in der ganzen Stadt herumtrieben, kommen wieder zum
Vorschein. Die ersten erkennen die Schilde und die erschli-
chenen Waffen, sie bemerken den fremdartigen Klang unserer Stimmen. Sogleich werden wir von dem Haufen über-
mannt, und als erster stürzt Coroebus durch die Hand des
Peneleus beim Altar der waffengewaltigen Göttin [425] hin;

Zu 2,402–436

Zu 2,437–482

procumbit; cadit et Rhipeus, iustissimus unus
qui fuit in Teucris et servantissimus aequi
(dis aliter visum); pereunt Hypanisque Dymasque
confixi a sociis; nec te tua plurima, Panthu,
labentem pietas nec Apollinis infula texit.   430
Iliaci cineres et flamma extrema meorum,
testor, in occasu vestro nec tela nec ullas
vitavisse vices, Danaum et, si fata fuissent
ut caderem, meruisse manu. divellimur inde,
Iphitus et Pelias mecum (quorum Iphitus aevo   435
iam gravior, Pelias et vulnere tardus Ulixi),
protinus ad sedes Priami clamore vocati.
hic vero ingentem pugnam, ceu cetera nusquam
bella forent, nulli tota morerentur in urbe,
sic Martem indomitum Danaosque ad tecta ruentis   440
cernimus obsessumque acta testudine limen.
haerent parietibus scalae postisque sub ipsos
nituntur gradibus clipeosque ad tela sinistris
protecti obiciunt, prensant fastigia dextris.
Dardanidae contra turris ac tota domorum   445
culmina convellunt; his se, quando ultima cernunt,
extrema iam in morte parant defendere telis,
auratasque trabes, veterum decora alta parentum,
devolvunt; alii strictis mucronibus imas
obsedere fores, has servant agmine denso.   450
instaurati animi regis succurrere tectis
auxilioque levare viros vimque addere victis.

  Limen erat caecaeque fores et pervius usus
tectorum inter se Priami, postesque relicti
a tergo, infelix qua se, dum regna manebant,   455

es fällt auch Rhipeus, der Gerechtesten einer, die es gab bei
den Teucrern, ein unbestechlicher Wahrer des Rechten (anders meinten's die Götter); es sterben Hypanis und Dymas,
von den eigenen Leuten durchbohrt; auch dich hat weder
deine tiefe Frömmigkeit, Panthus, im Sterben geschützt
noch die Binde.des Apollo. [430] Iliums Asche und Toten-
feuer der Meinen, ich rufe euch als Zeugen an, daß ich bei
eurem Untergang nicht Geschosse noch Gefahren des
Kampfes gemieden, und wenn es mein Schicksal gewesen
wäre zu sterben, so hätte ich's verdient von Danaerhand.
Dann werden wir auseinandergerissen, Iphitus und Pelias
bleiben bei mir (Iphitus war vom Alter [435] schon ziemlich
gebeugt und Pelias beeinträchtigt durch eine Verwundung
des Ulixes), geradewegs werden wir durch Geschrei zum
Palast des Priamus gerufen. Hier aber erleben wir einen gewaltigen Kampf, als gäbe es sonst nirgends Gefechte und
stürben sonst keine Menschen in der ganzen Stadt: Wir sehen, wie Mars unbändig tobt, die Danaer das Gebäude stürmen [440] und die Schwelle belagert ist vom vorgeschobenen
Schilddach. An den Mauern hängen Leitern; dicht neben
den Türbalken erklimmen sie die Sprossen, und geschützt
halten sie mit der Linken die Schilde gegen die Waffen, pak-
ken mit der Rechten die Zinnen. Die Dardaner hingegen
reißen die Türme und alle [445] Giebel des Baues ein; mit
diesen Wurfgeschossen trachten sie jetzt, da sie das Ende
vor Augen haben, sich zu verteidigen; außerdem wälzen sie
vergoldete Balken, erhabenen Schmuck der Vorfahren,
herab; andere halten mit gezückten Schwertern den unter-
sten Zugang besetzt und schützen ihn dichtgedrängt. [450]
Wiedergewonnen ist der Mut, dem Königspalast zu Hilfe
zu eilen, durch unseren Beistand die Helden zu entlasten
und den Besiegten neue Kraft zu geben.

Es gab einen Eingang, eine verborgene Tür und einen
Durchgang zwischen den Gebäuden des Priamus, eine
nichtbeachtete rückwärtige Pforte, durch die, solange das
Königreich noch bestand, [455] öfters Andromache, die Un-

saepius Andromache ferre incomitata solebat
ad soceros et avo puerum Astyanacta trahebat.
evado ad summi fastigia culminis, unde
tela manu miseri iactabant inrita Teucri.
turrim in praecipiti stantem summisque sub astra   460
eductam tectis, unde omnis Troia videri
et Danaum solitae naves et Achaica castra,
adgressi ferro circum, qua summa labantis
iuncturas tabulata dabant, convellimus altis
sedibus impulimusque; ea lapsa repente ruinam   465
cum sonitu trahit et Danaum super agmina late
incidit.   ast alii subeunt, nec saxa nec ullum
telorum interea cessat genus.
    Vestibulum ante ipsum primoque in limine Pyrrhus
exsultat telis et luce coruscus aëna: 470
qualis ubi in lucem coluber mala gramina pastus,
frigida sub terra tumidum quem bruma tegebat,
nunc, positis novus exuviis nitidusque iuventa,
lubrica convoluit sublato pectore terga
arduus ad solem, et linguis micat ore trisulcis.   475
una ingens Periphas et equorum agitator Achillis,
armiger Automedon, una omnis Scyria pubes
succedunt tecto et flammas ad culmina iactant.
ipse inter primos correpta dura bipenni
limina perrumpit postisque a cardine vellit   480
aeratos; iamque excisa trabe firma cavavit
robora et ingentem lato dedit ore fenestram.
apparet domus intus et atria longa patescunt;
apparent Priami et veterum penetralia regum,
armatosque vident stantis in limine primo.   485

glückliche, ohne Begleitung zu den Schwiegereltern zu gehen pflegte und den kleinen Astyanax zum Großvater hin-
brachte. So steige ich hinauf zu den Zinnen des obersten
Giebels, von wo aus die unglücklichen Teucrer mit bloßen
Händen ihre Geschosse schleuderten, die nichts ausrichte-
ten. Ein Turm stand am Abhang, und sein Dachstuhl reichte
bis zu den Sternen; [460] von ihm aus sah man gewöhnlich
ganz Troia, die Schiffe der Danaer und das achäische Lager;
den griffen wir mit Brechstangen von allen Seiten an, wo die
oberen Stockwerke sich lockernde Verstrebungen boten,
rissen ihn aus seiner hohen Lage und brachten ihn zu Fall;
ins Schwanken gekommen stürzt er plötzlich [465] krachend
ein und begräbt weithin die Scharen der Danaer unter sich.
Doch andere rücken nach, unterdessen hält der Hagel von
Steinen und Geschossen aller Art an.

Unmittelbar vor der Eingangshalle, auf der ersten
Schwelle prahlt Pyrrhus blitzend in seinen Waffen und dem
Glanz des Erzes: [470] Gleich wie wenn eine Schlange, von
giftigen Gräsern gesättigt, die aufgeschwollen die Winter-
kälte unter die Erde verbannte, wieder ans Licht gekommen
ihre Haut abstreift und dann neu und in jugendlicher Frische glänzend ihren glatten Leib ringelt, die Brust steil zur
Sonne emporgereckt, und aus ihrem Rachen die dreigespal-
tene Zunge zucken läßt. [475] Zugleich nahen der gewaltige
Periphas und Achilles' Rosselenker, der Waffenträger Automedon, zugleich die ganze junge Mannschaft aus Scyrus
dem Palast und schleudern Brandfackeln auf die Firste.
Pyrrhus selbst, unter den ersten, greift hastig nach einer
Doppelaxt, spaltet die harte Schwelle und reißt die ehernen
Pfosten aus der Angel; [480] schon hat er einen Querbalken
herausgehauen, das Eichenholz eingeschlagen und ein riesi-
ges Loch geschaffen mit klaffender Öffnung. Sichtbar wird
drinnen das Innere des Palastes, und lange Hallen tun sich
auf; sichtbar werden die Wohnräume des Priamus und der
früheren Könige, und man sieht Bewaffnete auf der vorder-
sten Schwelle stehen. [485] Doch im Innern des Hauses

at domus interior gemitu miseroque tumultu
miscetur, penitusque cavae plangoribus aedes
femineis ululant; ferit aurea sidera clamor.
tum pavidae tectis matres ingentibus errant
amplexaeque tenent postis atque oscula figunt.   490
instat vi patria Pyrrhus; nec claustra nec ipsi
custodes sufferre valent; labat ariete crebro
ianua, et emoti procumbunt cardine postes.
fit via vi; rumpunt aditus primosque trucidant
immissi Danai et late loca milite complent.   495
non sic, aggeribus ruptis cum spumeus amnis
exiit oppositasque evicit gurgite moles,
fertur in arva furens cumulo camposque per omnis
cum stabulis armenta trahit. vidi ipse furentem
caede Neoptolemum geminosque in limine Atridas,   500
vidi Hecubam centumque nurus Priamumque per aras
sanguine foedantem quos ipse sacraverat ignis.
quinquaginta illi thalami, spes tanta nepotum,
barbarico postes auro spoliisque superbi
procubuere; tenent Danai qua deficit ignis.   505
   Forsitan et Priami fuerint quae fata requiras.
urbis uti captae casum convulsaque vidit
limina tectorum et medium in penetralibus hostem,
arma diu senior desueta trementibus aevo
circumdat nequiquam umeris et inutile ferrum   510
cingitur, ac densos fertur moriturus in hostis.
aedibus in mediis nudoque sub aetheris axe
ingens ara fuit iuxtaque veterrima laurus
incumbens arae atque umbra complexa penatis.

mischt sich erbärmliches Jammern und Verwirrung, und tief drinnen hallen die gewölbten Räume vom Wehklagen der Frauen; bis zu den goldenen Sternen dringt das Schreien. Da irren verängstigt Mütter durch riesige Räume, halten Pfeiler umschlungen und drücken Küsse darauf. [490] Pyrrhus dringt vor, stark wie sein Vater, nicht Schlösser und nicht einmal die Wächter vermögen ihm zu widerstehen; unter dem wiederholten Stoßen des Rammbocks wankt das Tor, und aus den Angeln gerissen stürzen die Pfosten zu Boden. Gewalt bahnt sich den Weg. Die eingedrungenen Danaer brechen die Türen auf, morden die ersten und füllen mit Soldaten weithin die Räume. [495] Nicht so wild ergießt sich ein Fluß, wenn er, nachdem die Dämme gebrochen, schäumend über die Ufer getreten ist und das Hindernis der Deiche bezwungen hat durch die Gewalt seiner Strömung, tobend in seinem Schwall auf die Fluren und reißt über alle Felder hin das Vieh samt den Ställen mit. Ich sah mit eigenen Augen den mörderisch rasenden Neoptolemus und auf der Schwelle die beiden Atriden, [500] ich sah Hecuba mit ihren hundert Töchtern und Schwiegertöchtern und Priamus, der an den Altären mit seinem Blut Opferfeuer befleckte, die er selbst geweiht. Jene fünfzig Brautgemächer, die Aussicht auf so viele Enkelkinder, auch die von Gold und Beutestücken der Barbaren prangenden Türpfosten sanken in sich zusammen; was das Feuer verschont, halten die Danaer in der Hand. [505]

Vielleicht auch möchtest du wissen, wie das Schicksal des Priamus war. Als er den Fall der eroberten Stadt und die herausgerissenen Türen des Palastes gesehen und mitten in den Gemächern den Feind, nimmt der Greis die schon lange nicht mehr gewohnten Waffen vergebens auf die vom Alter zitternden Schultern, gürtet das nutzlose Schwert [510] und stürzt sich in das Gewühl der Feinde, um zu sterben. Inmitten des Palastes unter freiem Himmel stand ein mächtiger Altar, daneben ein uralter Lorbeerbaum, der sich über den Altar neigte und mit seinem Schatten die Penaten um-

Zu 2,486–554

Zu 2,567–623

hic Hecuba et natae nequiquam altaria circum,   515
praecipites atra ceu tempestate columbae,
condensae et divum amplexae simulacra sedebant.
ipsum autem sumptis Priamum iuvenalibus armis
ut vidit, "quae mens tam dira, miserrime coniunx,
impulit his cingi telis? aut quo ruis?" inquit.   520
"non tali auxilio nec defensoribus istis
tempus eget; non, si ipse meus nunc adforet Hector.
huc tandem concede; haec ara tuebitur omnis,
aut moriere simul." sic ore effata recepit
ad sese et sacra longaevum in sede locavit.   525
    Ecce autem elapsus Pyrrhi de caede Polites,
unus natorum Priami, per tela, per hostis
porticibus longis fugit et vacua atria lustrat
saucius. illum ardens infesto vulnere Pyrrhus
insequitur, iam iamque manu tenet et premit hasta.   530
ut tandem ante oculos evasit et ora parentum,
concidit ac multo vitam cum sanguine fudit.
hic Priamus, quamquam in media iam morte tenetur,
non tamen abstinuit nec voci iraeque pepercit:
"at tibi pro scelere," exclamat, "pro talibus ausis   535
di, si qua est caelo pietas quae talia curet,
persolvant grates dignas et praemia reddant
debita, qui nati coram me cernere letum
fecisti et patrios foedasti funere vultus.
at non ille, satum quo te mentiris, Achilles   540
talis in hoste fuit Priamo; sed iura fidemque
supplicis erubuit corpusque exsangue sepulcro
reddidit Hectoreum meque in mea regna remisit."

fing. Hier saßen Hecuba und ihre Töchter – freilich umsonst – um die Opferstätte [515] wie Tauben, die sich bei fin-
sterem Unwetter kopfüber zur Erde stürzen, dicht aneinan-
dergedrängt und umarmten die Bilder der Götter. Als sie
aber Priamus vor sich sah, der zu den Waffen seiner jungen
Jahre gegriffen, sagte sie: ›Welch unheilvoller Gedanke hat
dich, mein unglücklicher Mann, getrieben, diese Waffen anzulegen? Wohin eilst du eigentlich? [520] Der Augenblick
verlangt nicht nach solcher Hilfe und solcher Verteidigung;
selbst nicht, wenn mein Sohn Hector jetzt hier wäre. Komm
doch hierher; dieser Altar wird uns alle schützen, oder du
wirst mit uns sterben!‹ Als sie diese Worte gesagt, zog sie
ihn zu sich und ließ den Bejahrten an der heiligen Stätte sich
setzen. [525]

Doch sieh, da flieht, dem Morden des Pyrrhus entkommen, Polites, einer von Priamus' Söhnen, durch den Geschoßhagel, durch die Feinde unter den langen Säulenhallen
hin, quert, verwundet, die leeren Höfe. Ihm folgt grimmig
Pyrrhus mit todbringender Waffe; im nächsten Augenblick
hält er ihn fest und durchbohrt ihn mit der Lanze. [530] Als
er schließlich unter den Augen und im Angesicht der Eltern
entkommen, bricht er zusammen und verströmt sein Leben
in einem Schwall von Blut. Da konnte Priamus, obwohl
schon vom Tod umfangen, nicht an sich halten und schonte
nicht Stimme noch Zorn: ›Dir sollen für deine Verbrechen‹,
ruft er, ›für solches Erdreisten [535] die Götter, wenn denn
der Himmel noch ein Mitgefühl kennt, das sich solcher
Dinge annimmt, verdienten Dank erweisen und den ge-
schuldeten Lohn zahlen, der du mich mit eigenen Augen
den Tod des Sohnes hast erleben lassen und das väterliche
Antlitz durch Mord befleckt hast. Nicht einmal Achilles,
[540] dessen Sohn zu sein du vorgibst, verhielt sich so gegenüber seinem Feind Priamus; sondern Recht und Vertrauen
eines Flehenden rührten sein Ehrgefühl: Er gab mir Hectors blutleeren Leichnam heraus zur Bestattung und entließ
mich in meinen königlichen Palast.‹ So sprach der Greis und

sic fatus senior telumque imbelle sine ictu
coniecit, rauco quod protinus aere repulsum,   545
et summo clipei nequiquam umbone pependit.
cui Pyrrhus: "referes ergo haec et nuntius ibis
Pelidae genitori.   illi mea tristia facta
degeneremque Neoptolemum narrare memento.
nunc morere."   hoc dicens altaria ad ipsa trementem   550
traxit et in multo lapsantem sanguine nati,
implicuitque comam laeva, dextraque coruscum
extulit ac lateri capulo tenus abdidit ensem.
haec finis Priami fatorum, hic exitus illum
sorte tulit Troiam incensam et prolapsa videntem   555
Pergama, tot quondam populis terrisque superbum
regnatorem Asiae.   iacet ingens litore truncus,
avulsumque umeris caput et sine nomine corpus.

    At me tum primum saevus circumstetit horror.
obstipui; subiit cari genitoris imago.   560
ut regem aequaevum crudeli vulnere vidi
vitam exhalantem, subiit deserta Creusa
et direpta domus et parvi casus Iuli.
respicio et quae sit me circum copia lustro.
deseruere omnes defessi, et corpora saltu   565
ad terram misere aut ignibus aegra dedere.

    [Iamque adeo super unus eram, cum limina Vestae
servantem et tacitam secreta in sede latentem
Tyndarida aspicio; dant claram incendia lucem
erranti passimque oculos per cuncta ferenti.   570
illa sibi infestos eversa ob Pergama Teucros
et Danaum poenam et deserti coniugis iras
praemetuens, Troiae et patriae communis Erinys,

schleuderte ohne Stoßkraft den kraftlosen Speer, der sogleich
an dem dumpftönenden Schild abprallte [545] und vom
Schildbuckel wirkungslos vorn herunterhing. Ihm antwortete Pyrrhus: ›Nun, dies wirst du noch einmal vermelden,
wirst als Bote zum Sohn des Peleus, meinem Vater gehen.
Denk daran, ihm von meinen gräßlichen Taten und dem aus
der Art geschlagenen Neoptolemus zu erzählen. Jetzt stirb!‹
Mit diesen Worten schleifte er den Zitternden, [550] der im
reichlich vergossenen Blut seines Sohnes immer wieder aus-
glitt, bis an den Altar, packte sein Haar mit der Linken, mit
der Rechten zog er sein blitzendes Schwert und stieß es ihm
bis zum Griff in die Seite. So vollendete sich das Schicksal des
Priamus, dieses Todeslos ereilte ihn, als er Troia in Flammen
und Pergamum eingestürzt sah, [555] den einst stolzen Herrscher über so viele Völker und Länder Asiens. Es liegt am
Strand der gewaltige Leib und abgetrennt von den Schultern
das Haupt, ein namenloser Leichnam.

Doch mich überkam da zum ersten Mal grausiges Entsetzen. Ich erstarrte; vor mir erstand das Bild des teuren Vaters, [560] als ich den König, an Alter ihm gleich, durch eine
grausame Verwundung sein Leben aushauchen sah, vor mir
erstand die alleingelassene Creusa, das geplünderte Haus
und der kleine Iulus im Unglück. Ich blicke um mich und
halte Ausschau, wie viele Leute noch in meiner Nähe sind.
Sie haben mich alle erschöpft verlassen, sind auf den Erdboden hinabgesprungen [565] oder haben sich todunglücklich
in die Flammen gestürzt.

[Jetzt war ich also allein übrig; da erblicke ich des Tynda-
reus Tochter, die am Portal des Vestatempels sitzt und sich
schweigend an dem abgeschiedenen Ort verborgen hält; der
helle Feuerschein leuchtet mir, als ich umherirre und hierhin und dahin über alles meinen Blick schweifen lasse. [570]
Sie hatte sich versteckt aus Furcht vor den Teucrern, die ihr
wegen Pergamums Zerstörung feind waren, aus Furcht vor
der Strafe der Danaer und dem Zorn des verlassenen Gatten, Geißel für beide, für Troia und die Heimat, und saß

abdiderat sese atque aris invisa sedebat.
exarsere ignes animo; subit ira cadentem   575
ulcisci patriam et sceleratas sumere poenas.
"scilicet haec Spartam incolumis patriasque Mycenas
aspiciet, partoque ibit regina triumpho?
coniugiumque domumque patris natosque videbit
Iliadum turba et Phrygiis comitata ministris?   580
occiderit ferro Priamus, Troia arserit igni?
Dardanium totiens sudarit sanguine litus?
non ita.   namque etsi nullum memorabile nomen
feminea in poena est, habet haec victoria laudem;
exstinxisse nefas tamen et sumpsisse merentis   585
laudabor poenas, animumque explesse iuvabit
ultricis flammae et cineres satiasse meorum."
talia iactabam et furiata mente ferebar,]
cum mihi se, non ante oculis tam clara, videndam
obtulit et pura per noctem in luce refulsit   590
alma parens, confessa deam qualisque videri
caelicolis et quanta solet, dextraque prehensum
continuit roseoque haec insuper addidit ore:
"nate, quis indomitas tantus dolor excitat iras?
quid furis?   aut quonam nostri tibi cura recessit?   595
non prius aspicies ubi fessum aetate parentem
liqueris Anchisen, superet coniunxne Creusa
Ascaniusque puer?   quos omnis undique Graiae
circum errant acies et, ni mea cura resistat,
iam flammae tulerint inimicus et hauserit ensis.   600
non tibi Tyndaridis facies invisa Lacaenae
culpatusve Paris, divum inclementia, divum
has evertit opes sternitque a culmine Troiam.
aspice (namque omnem, quae nunc obducta tuenti

nun verhaßt beim Altar. Flammende Wut hat mich erfaßt;
Zorn überkommt mich, [575] Rache zu nehmen für den
Sturz des Vaterlandes und ihr Verbrechen. ›Man denke nur,
diese Frau soll wohlbehalten Sparta und das heimatliche
Mykene erblicken, nach dem Sieg triumphierend als Königin einziehen? Sie soll Mann, Elternhaus und Kinder sehen,
begleitet von einer Schar troianischer Frauen und phrygi-
scher Dienerinnen? [580] Priamus soll durchs Schwert ge-
storben sein, Troia in Flammen aufgegangen, die dardanische Küste so oft von Blut getränkt gewesen sein? Nein, das
nicht! Denn wenn auch die Bestrafung einer Frau kein Ansehen bei der Nachwelt bringt, verdient dieser Sieg seinen
Ruhm; man wird mich loben, daß ich das Scheusal ausge-
löscht und an ihm die verdiente [585] Strafe vollzogen habe.
Auch wird es mir guttun, meine brennende Rachgier gestillt
und der Asche der Meinen ihren Frieden gegeben zu haben.‹ Solche Worte stieß ich aus und ließ mich von meiner
Raserei treiben,] als sich mir, so deutlich zu sehen wie nie
zuvor, die holde Mutter zeigte und durch die Nacht in rei-
nem Licht strahlte, [590] sich als Göttin offenbarte, prächtig
und mächtig wie sie von den Himmelsbewohnern gesehen
wird; sie faßte mich bei der Rechten, und dazu sprach sie
noch diese Worte mit ihrem rosenfarbenen Mund: ›Mein
Sohn, welch tiefe Erbitterung weckt in dir unbeherrschten
Zorn? Was rast du? Was eigentlich ist aus deiner Sorge um
uns geworden? [595] Willst du nicht erst einmal schauen, wo
du den altersmüden Vater Anchises gelassen hast, ob deine
Gattin Creusa noch lebt und der junge Ascanius? Sie alle
umdrängen von überall her die griechischen Reihen und,
wenn ich mich nicht aus Fürsorge widersetzte, hätten sie die
Flammen sicher schon dahingerafft und ein feindliches
Schwert sie getötet. [600] Nicht das verhaßte Gesicht der
Spartanerin, der Tyndareustochter, und der beschuldigte Paris, nein die Unnachsichtigkeit der Götter, der Götter! zerstört diese Macht und stürzt von seiner Höhe Troia. Sieh
hin (ich werde nämlich den ganzen Nebel, der jetzt vor dei-

mortalis hebetat visus tibi et umida circum 605
caligat, nubem eripiam; tu ne qua parentis
iussa time neu praeceptis parere recusa):
hic, ubi disiectas moles avulsaque saxis
saxa vides, mixtoque undantem pulvere fumum,
Neptunus muros magnoque emota tridenti 610
fundamenta quatit totamque a sedibus urbem
eruit. hic Iuno Scaeas saevissima portas
prima tenet sociumque furens a navibus agmen
ferro accincta vocat.
iam summas arces Tritonia, respice, Pallas, 615
insedit nimbo effulgens et Gorgone saeva.
ipse pater Danais animos virisque secundas
sufficit, ipse deos in Dardana suscitat arma.
eripe, nate, fugam finemque impone labori;
nusquam abero et tutum patrio te limine sistam." 620
dixerat et spissis noctis se condidit umbris.
apparent dirae facies inimicaque Troiae
numina magna deum.

  Tum vero omne mihi visum considere in ignis
Ilium et ex imo verti Neptunia Troia: 625
ac veluti summis antiquam in montibus ornum
cum ferro accisam crebrisque bipennibus instant
eruere agricolae certatim, illa usque minatur
et tremefacta comam concusso vertice nutat,
vulneribus donec paulatim evicta supremum 630
congemuit traxitque iugis avulsa ruinam.
descendo ac ducente deo flammam inter et hostis
expedior: dant tela locum flammaeque recedunt.

nen Augen aufgezogen ist, der deinen menschlichen Blick
schwächt und ringsum mit seinen Schwaden [605] verdüstert,
wegreißen; du, fürchte nicht irgendeinen Befehl deiner
Mutter, weigere dich nicht, ihren Weisungen zu gehorchen):
Hier, wo du Steinmassen verstreut liegen siehst, Stein von
Stein abgesprengt, wo du mit Staub vermischten Rauch wal-
len siehst, erschüttert Neptunus die Mauern, wühlt mit seinem mächtigen Dreizack [610] ihre Fundamente heraus und
reißt die ganze Stadt aus ihren Grundfesten. Hier hält die
grimmige Iuno allen voran das scäische Tor, ruft in ihrer
Wut das verbündete Heer von den Schiffen herbei, mit dem
Schwert gegürtet. Schau dich um, schon hat sich Tritonia
Pallas [615] hoch oben auf der Burg niedergelassen, sie
leuchtet aus ihrer Wolke hervor, schrecklich anzusehen mit
ihrer Gorgo. Der Göttervater selbst verleiht den Danaern
Mut und Kraft zum Erfolg, hetzt selbst die Götter gegen
die Waffen der Dardaner. Fliehe schleunigst, mein Sohn,
und setze der Mühsal ein Ende; nirgends werde ich dir
fern sein und dich wohlbehalten zur Schwelle deiner Väter
bringen.‹ [620] Nach diesen Worten zog sie sich zurück in
die dichten Schatten der Nacht. Es erscheinen gräßliche
Fratzen und die Troia feindlichen unumschränkten Mächte
der Götter.

Da dünkte mich wahrhaftig, ganz Ilium versinke im
Feuer und Neptuns Troia werde von Grund aus zerstört:
[625] Es war, wie wenn Bauern hoch oben in den Bergen sich
um die Wette mühen, eine alte Esche, angehauen vom Beil
und wiederholten Schlägen der Doppelaxt, zu fällen; sie
droht in einem fort zu fallen, sie zittert im Geäst, heftig
wird ihr Wipfel geschüttelt, und der ganze Baum schwankt,
bis er, allmählich von den geschlagenen Wunden besiegt, ein
letztes Mal [630] ächzt und aus dem Berghang gerissen endgültig niederstürzt. Ich steige hinab, und unter göttlicher
Führung gelange ich heil hindurch zwischen Feuer und
Feind. Frei geben die Geschosse den Weg, und die Flammen
weichen zurück.

Atque ubi iam patriae perventum ad limina sedis
antiquasque domos, genitor, quem tollere in altos   635
optabam primum montis primumque petebam,
abnegat excisa vitam producere Troia
exsiliumque pati. "vos o, quibus integer aevi
sanguis," ait, "solidaeque suo stant robore vires,
vos agitate fugam.   640
me si caelicolae voluissent ducere vitam,
has mihi servassent sedes. satis una superque
vidimus excidia et captae superavimus urbi.
sic o sic positum adfati discedite corpus.
ipse manu mortem inveniam; miserebitur hostis   645
exuviasque petet. facilis iactura sepulcri.
iam pridem invisus divis et inutilis annos
demoror, ex quo me divum pater atque hominum rex
fulminis adflavit ventis et contigit igni."

Talia perstabat memorans fixusque manebat.   650
nos contra effusi lacrimis coniunxque Creusa
Ascaniusque omnisque domus, ne vertere secum
cuncta pater fatoque urgenti incumbere vellet.
abnegat inceptoque et sedibus haeret in isdem.
rursus in arma feror mortemque miserrimus opto.   655
nam quod consilium aut quae iam fortuna dabatur?
"mene efferre pedem, genitor, te posse relicto
sperasti tantumque nefas patrio excidit ore?
si nihil ex tanta superis placet urbe relinqui,
et sedet hoc animo perituraeque addere Troiae   660
teque tuosque iuvat, patet isti ianua leto,
iamque aderit multo Priami de sanguine Pyrrhus,

Und sobald ich zur Schwelle der väterlichen Wohnung gelangt bin, zu unserem alten Zuhause, weigert sich der Vater, den ich vor allen anderen in die hohen [635] Berge bringen wollte und deshalb als ersten aufsuchte, nach Troias Zerstörung weiterzuleben und die Verbannung zu ertragen. ›Ihr, deren Blut jung und unverbraucht ist‹, sagte er, ›deren starke Kräfte kerngesund sind, sinnt ihr auf Flucht! [640]

Hätten die Himmelsbewohner gewollt, daß ich weiterlebe, hätten sie mir diesen Wohnsitz erhalten. Übergenug ist es, einmal die Zerstörung der Stadt erlebt und ihre Eroberung überdauert zu haben. So, ja so laßt mich liegen, sagt mir den letzten Gruß und geht. Ich werde im Kampf den Tod finden; ein Feind wird sich erbarmen [645] und nach Beute verlangen. Leicht ist der Verzicht auf ein Grab. Schon längst bin ich den Göttern verhaßt und friste unnütz meine Jahre, seit mich der Vater der Götter und König der Menschen mit dem Hauch seines Blitzes anblies und mit seinem Feuer anrührte.‹

Fest entschlossen sprach er diese Worte und blieb unerschütterlich. [650] Wir hingegen, in Tränen aufgelöst, die Gattin Creusa, Ascanius und alle im Haus baten den Vater, doch nicht mit sich alles zu vernichten und dem drängenden Schicksal nachzuhelfen. Er schlägt die Bitte ab und klammert sich förmlich an sein Vorhaben und seinen Grund und Boden. Wieder zieht es mich in den Kampf, und tiefunglücklich wünsche ich den Tod herbei. [655] Denn welche Entscheidung oder welche Fügung gab es noch für mich? ›Daß ich dich, Vater, zurücklassen und den Fuß aus diesem Haus setzen könnte, hast du das erwartet, ist wirklich eine solche Ungeheuerlichkeit dem Mund des Vaters entschlüpft? Wenn es den Göttern gefällt, daß nichts von dieser so bedeutenden Stadt übrigbleibt, und dies dein Beschluß bleibt und es dir beliebt, dich und die Deinen dem sicheren Untergang Troias zuzugesellen, [660] so steht diesem Tod die Tür offen, und gleich wird Pyrrhus, voll vom Blut des Priamus, zur Stelle sein, der den Sohn vor den Augen des

natum ante ora patris, patrem qui obtruncat ad aras.
hoc erat, alma parens, quod me per tela, per ignis
eripis, ut mediis hostem in penetralibus utque   665
Ascanium patremque meum iuxtaque Creusam
alterum in alterius mactatos sanguine cernam?
arma, viri, ferte arma; vocat lux ultima victos.
reddite me Danais; sinite instaurata revisam
proelia.   numquam omnes hodie moriemur inulti."   670
    Hinc ferro accingor rursus clipeoque sinistram
insertabam aptans meque extra tecta ferebam.
ecce autem complexa pedes in limine coniunx
haerebat, parvumque patri tendebat Iulum:
"si periturus abis, et nos rape in omnia tecum;   675
sin aliquam expertus sumptis spem ponis in armis,
hanc primum tutare domum.   cui parvus Iulus,
cui pater et coniunx quondam tua dicta relinquor?"
    Talia vociferans gemitu tectum omne replebat,
cum subitum dictuque oritur mirabile monstrum.   680
namque manus inter maestorumque ora parentum
ecce levis summo de vertice visus Iuli
fundere lumen apex, tactuque innoxia mollis
lambere flamma comas et circum tempora pasci.
nos pavidi trepidare metu crinemque flagrantem   685
excutere et sanctos restinguere fontibus ignis.
at pater Anchises oculos ad sidera laetus
extulit et caelo palmas cum voce tetendit:
"Iuppiter omnipotens, precibus si flecteris ullis,
aspice nos, hoc tantum, et si pietate meremur,   690
da deinde auxilium, pater, atque haec omina firma."

Vaters, dann den Vater am Altar erschlägt. War es dies, gütige Mutter, wofür du mich durch Geschoßhagel und Feuer
hindurch gerettet, um mitten im eigenen Haus den Feind,
[665] Ascanius und meinen Vater, dazu Creusa, den einen im
Blut des andern hingeopfert zu sehen? Waffen, Männer,
schafft die Waffen her; es ruft der letzte Tag die Besiegten!
Bringt mich wieder zu den Danaern, laßt mich von neuem
den Kampf aufnehmen! Nie und nimmer werden wir alle
heute sterben, ohne gerächt zu werden.‹ [670]

Daraufhin gürte ich wieder das Schwert, wollte gerade
die Linke in den Schild stecken, um ihn anzulegen, und dabei das Haus verlassen. In diesem Augenblick aber, auf der
Schwelle, schlang meine Frau ihre Arme um meine Füße,
klammerte sich fest an mich und hielt mir, dem Vater, den
kleinen Iulus hin: ›Stürzt du dich wissend in den Tod, so
reiße mit dir auch uns in alles, was kommt; [675] setzt du
aber mit gutem Grund noch eine Hoffnung auf die ergriffe-
nen Waffen, so schütze allem voran dieses Haus! Wem wird
der kleine Iulus, wem der Vater, wem werde ich, die einmal
deine Frau hieß, zurückgelassen?‹

So rief sie laut, und ihr Wehklagen erfüllte das ganze
Haus, als plötzlich ein Prodigium sich einstellte, nur als
Wunder zu bezeichnen. [680] Denn in den Armen und unter
den Augen der betrübten Eltern, stellt euch vor, war zu sehen, wie ein zartes Flämmchen oben vom Scheitel des Iulus
ein Licht verbreitete, wie das Feuer ihn, ohne zu schaden,
berührte, über das weiche Haar züngelte und um die Schläfen sich fortfraß. Wir, bebend vor Angst, hasteten hin und
her, versuchten, die Flammen am Haar [685] durch Schütteln
zu ersticken und das vom Himmel gesandte Feuer mit Wasser zu löschen. Doch Vater Anchises hob voll Freude die
Augen zu den Gestirnen, streckte die Hände zum Himmel
und sprach dabei das Gebet: ›Iuppiter, Allmächtiger, wenn
überhaupt du durch Bitten dich bewegen läßt, sieh uns an,
nur dies, und wenn wir es durch unsere Ehrfurcht verdie-
nen, [690] schenke uns nun deine Hilfe, Vater, und bestätige
dieses Zeichen!‹

Zu 2,673–698

Zu 2,707–729

Vix ea fatus erat senior, subitoque fragore
intonuit laevum, et de caelo lapsa per umbras
stella facem ducens multa cum luce cucurrit.
illam summa super labentem culmina tecti   695
cernimus Idaea claram se condere silva
signantemque vias; tum longo limite sulcus
dat lucem et late circum loca sulphure fumant.
hic vero victus genitor se tollit ad auras
adfaturque deos et sanctum sidus adorat.   700
"iam iam nulla mora est; sequor et qua ducitis adsum,
di patrii; servate domum, servate nepotem.
vestrum hoc augurium, vestroque in numine Troia est.
cedo equidem nec, nate, tibi comes ire recuso."
dixerat ille, et iam per moenia clarior ignis   705
auditur, propiusque aestus incendia volvunt.
"ergo age, care pater, cervici imponere nostrae;
ipse subibo umeris nec me labor iste gravabit;
quo res cumque cadent, unum et commune periclum,
una salus ambobus erit.   mihi parvus Iulus   710
sit comes, et longe servet vestigia coniunx.
vos, famuli, quae dicam animis advertite vestris.
est urbe egressis tumulus templumque vetustum
desertae Cereris, iuxtaque antiqua cupressus
religione patrum multos servata per annos;   715
hanc ex diverso sedem veniemus in unam.
tu, genitor, cape sacra manu patriosque penatis;
me bello e tanto digressum et caede recenti
attrectare nefas, donec me flumine vivo
abluero."   720

Kaum hatte der alte Mann diese Worte gesprochen, da plötzlich mit Krachen ein Donner zur Linken, und vom Himmel glitt durch die Schatten der Nacht ein Stern und eilte, eine Fackel nach sich ziehend, dahin mit gleißendem Licht: Hoch über den Dachfirst sehen wir ihn gleiten [695] und hell dem Blick sich entziehen im Wald des Idagebirges, seine Bahn zeichnend; dann noch verbreitet die in langer Linie verlaufende Schneise Licht, und weithin raucht ringsum das Gelände von Schwefel. Da nun gibt sich der Vater geschlagen: Er erhebt sich, den Blick zum Himmel gerichtet, wendet sich an die Götter und ruft das heilige Gestirn an: [700] ›Nun, nun gibt es kein Halten mehr; ich folge euch, und welchen Weg ihr uns auch führt, ich bin zur Stelle, Götter der Väter; bewahrt dieses Haus, bewahrt den Enkel! Von euch kommt dies Zeichen, in eurer Macht liegt Troia. Ja, ich füge mich und weigere mich nicht länger, mein Sohn, dich zu begleiten.‹ Jener hatte geendet, und schon hört man deutlicher die Häuser entlang das prasselnde Feuer, [705] näher wälzen die Brände ihre Glut. ›Auf also, teurer Vater, setze dich auf meinen Nacken; ich will dich auf meine Schulter nehmen, und diese Last wird mir nicht schwer sein; wohin auch immer die Dinge sich wenden, ein und dieselbe Gefahr wird uns gemeinsam treffen, ein und dieselbe Rettung wird uns beiden zuteil. Der kleine Iulus [710] soll mein Begleiter sein und in einiger Entfernung die Gattin meinen Schritten folgen. Ihr, meine Diener, merkt euch genau, was ich sage. Vor den Toren der Stadt sieht man einen Hügel mit einem altehrwürdigen Tempel der Ceres, die man vergessen, daneben eine alte Zypresse, durch die Ehrfurcht der Väter über viele Jahre hin behütet. [715] Genau zu dieser Stätte werden wir aus verschiedenen Richtungen kommen. Du Vater, nimm die heiligen Geräte und die Penaten der Väter an dich; mir, der ich einem so entsetzlichen Krieg und Blutvergießen eben erst entkommen, ist ihre Berührung nicht erlaubt, bevor ich mich in fließendem Wasser gereinigt habe.‹ [720]

Haec fatus latos umeros subiectaque colla
veste super fulvique insternor pelle leonis,
succedoque oneri; dextrae se parvus Iulus
implicuit sequiturque patrem non passibus aequis;
pone subit coniunx. ferimur per opaca locorum,   725
et me, quem dudum non ulla iniecta movebant
tela neque adverso glomerati examine Grai,
nunc omnes terrent aurae, sonus excitat omnis
suspensum et pariter comitique onerique timentem.
iamque propinquabam portis omnemque videbar   730
evasisse viam, subito cum creber ad auris
visus adesse pedum sonitus, genitorque per umbram
prospiciens "nate," exclamat, "fuge, nate; propinquant.
ardentis clipeos atque aera micantia cerno."
hic mihi nescio quod trepido male numen amicum   735
confusam eripuit mentem. namque avia cursu
dum sequor et nota excedo regione viarum,
heu misero coniunx fatone erepta Creusa
substitit, erravitne via seu lapsa resedit,
incertum; nec post oculis est reddita nostris.   740
nec prius amissam respexi animumve reflexi
quam tumulum antiquae Cereris sedemque sacratam
venimus: hic demum collectis omnibus una
defuit, et comites natumque virumque fefellit.
quem non incusavi amens hominumque deorumque,   745
aut quid in eversa vidi crudelius urbe?
Ascanium Anchisenque patrem Teucrosque penatis
commendo sociis et curva valle recondo;
ipse urbem repeto et cingor fulgentibus armis.
stat casus renovare omnis omnemque reverti   750
per Troiam et rursus caput obiectare periclis.

Nach diesen Worten hülle ich meine breiten Schultern und den gebeugten Nacken in eine Decke vom gelblichen Fell eines Löwen und nehme die Last auf mich; meine rechte Hand hat der kleine Iulus gefaßt und folgt dem Vater mit kürzeren Schritten, hinten nach geht die Gattin. Wir eilen durch dunkles Gelände, [725] und mich, den längst nicht mehr schwirrende Geschosse noch die Griechen, zusammengerottet aus dem Heer der Feinde, beeindrucken konnten, schreckte jetzt jeder Luftzug, ließ jeder Laut auffahren, schwebte ich doch gleicherweise in Furcht um meinen Begleiter und meine Bürde. Schon näherte ich mich den Toren und meinte, [730] den ganzen Weg zurückgelegt zu haben, als plötzlich der Schritt vieler Füße an meine Ohren zu dringen schien und der Vater, durch die Finsternis Ausschau haltend, ›Sohn‹ schrie, ›fliehe, Sohn; sie kommen heran, ich sehe die funkelnden Schilde und blitzendes Erz.‹ An dieser Stelle raubte mir in meiner Angst irgendein übel gesinntes göttliches Wesen den schon wirren Verstand. [735] Denn während ich im Laufschritt einem Seitenpfad folge und den Bereich der vertrauten Wege verlasse, bleibt – ach! – Creusa stehen; ob sie uns durch ein schlimmes Geschick entrissen wurde, ob sie vom Weg abirrte oder nach einem Sturz liegenblieb, ist unklar; doch sahen wir sie danach nicht wieder. [740] Auch blickte ich mich nicht nach ihr um, die uns verlorengegangen, oder dachte an sie, bevor wir zum Hügel der ehrwürdigen Ceres und ihrer heiligen Stätte kamen; erst nachdem sich hier alle versammelt hatten, fehlte sie als einzige und blieb für die Gefährten, ihren Sohn und ihren Mann verschwunden. Wen habe ich in meinem Wahn nicht beschuldigt, Menschen wie auch Götter, [745] oder was habe ich Grausameres in der zerstörten Stadt gesehen? Ascanius, den Vater Anchises und die teucrischen Penaten vertraue ich den Gefährten an und verstecke sie in einer Talsenke; ich selbst eile zur Stadt zurück, rüste mich mit blitzenden Waffen. Es gilt, das ganze Elend noch einmal zu erleben, durch ganz Troia zurückzulaufen [750] und erneut mein Leben den

principio muros obscuraque limina portae,
qua gressum extuleram, repeto et vestigia retro
observata sequor per noctem et lumine lustro:
horror ubique animo, simul ipsa silentia terrent.   755
inde domum, si forte pedem, si forte tulisset,
me refero: inruerant Danai et tectum omne tenebant.
ilicet ignis edax summa ad fastigia vento
volvitur; exsuperant flammae, furit aestus ad auras.
procedo et Priami sedes arcemque reviso: 760
et iam porticibus vacuis Iunonis asylo
custodes lecti Phoenix et dirus Ulixes
praedam adservabant.   huc undique Troia gaza
incensis erepta adytis, mensaeque deorum
crateresque auro solidi, captivaque vestis   765
congeritur.   pueri et pavidae longo ordine matres
stant circum.
ausus quin etiam voces iactare per umbram
implevi clamore vias, maestusque Creusam
nequiquam ingeminans iterumque iterumque vocavi.   770
quaerenti et tectis urbis sine fine ruenti
infelix simulacrum atque ipsius umbra Creusae
visa mihi ante oculos et nota maior imago.
obstipui, steteruntque comae et vox faucibus haesit.
tum sic adfari et curas his demere dictis: 775
"quid tantum insano iuvat indulgere dolori,
o dulcis coniunx?   non haec sine numine divum
eveniunt; nec te comitem hinc portare Creusam
fas, aut ille sinit superi regnator Olympi.
longa tibi exsilia et vastum maris aequor arandum,   780

Gefahren auszusetzen. Zunächst suche ich die Mauern und den dunklen Toreingang, durch den ich herausgegangen war, wieder auf, ich achte auf unsere Spuren und verfolge sie rückwärts durch die Nacht mit prüfendem Blick: Schrecken überfällt mich allenthalben, gleichzeitig ängstigt mich gerade die Stille. [755] Sodann laufe ich zu unserem Haus für den möglichen Fall, daß sie dorthin zurückgekehrt: Die Danaer waren eingedrungen und hielten das ganze Gebäude besetzt. Alsbald wälzt sich ein verzehrendes Feuer, vom Wind angefacht, bis zum Dachfirst; hoch empor schlagen die Flammen, eine Glutwelle brandet zum Himmel. Ich gehe weiter und komme noch einmal zum Palast und der Burg des Priamus: [760] Da wachten schon in den leeren Säulenhallen, der Zufluchtsstätte der Iuno, ausgesuchte Wächter, Phönix und der gräßliche Ulixes, über die Beute. Hier werden von allen Seiten die aus den brennenden Tempeln geraubten Kleinodien Troias, Opfertische der Götter, Krüge aus massivem Gold und erbeutete Gewänder [765] aufgehäuft. Kinder und vor Furcht zitternde Mütter stehen in langer Reihe ringsum. Ich wagte es sogar, ins Dunkel hineinzurufen, und erfüllte mit meinem Schreien die Straßen; ich rief wieder und wieder, doch vergeblich: ›Creusa, Creusa!‹ [770] Als ich auf der Suche nach ihr endlos durch die Häuser der Stadt stürmte, erschien das unglückliche Bild, der Schatten Creusas selbst vor meinen Augen, und ihre Gestalt war größer, als ich sie gekannt. Ich war wie betäubt, die Haare standen mir zu Berge, und die Stimme blieb mir im Hals stecken. Da wandte sie sich an mich und nahm mir meine Sorgen mit diesen Worten: [775] ›Was hilft es, dem wahnsinnigen Schmerz so sehr nachzugeben, mein lieber Mann? Nicht ohne den Willen der Götter geschieht all dies; höheres Gesetz erlaubt dir nicht, Creusa als Gefährtin von hier mitzunehmen, oder droben der Herrscher des hohen Olymp läßt es nicht zu. Ein langer Aufenthalt in der Fremde ist dir bestimmt, die wüste Fläche des Meeres muß du durchpflügen [780] und wirst nach Hesperien kom-

et terram Hesperiam venies, ubi Lydius arva
inter opima virum leni fluit agmine Thybris.
illic res laetae regnumque et regia coniunx
parta tibi; lacrimas dilectae pelle Creusae.
non ego Myrmidonum sedes Dolopumve superbas   785
aspiciam aut Grais servitum matribus ibo,
Dardanis et divae Veneris nurus;
sed me magna deum genetrix his detinet oris.
iamque vale et nati serva communis amorem."
haec ubi dicta dedit, lacrimantem et multa volentem   790
dicere deseruit, tenuisque recessit in auras.
ter conatus ibi collo dare bracchia circum;
ter frustra comprensa manus effugit imago,
par levibus ventis volucrique simillima somno.
sic demum socios consumpta nocte reviso.   795
   Atque hic ingentem comitum adfluxisse novorum
invenio admirans numerum, matresque virosque,
collectam exsilio pubem, miserabile vulgus.
undique convenere animis opibusque parati
in quascumque velim pelago deducere terras.   800
iamque iugis summae surgebat Lucifer Idae
ducebatque diem, Danaique obsessa tenebant
limina portarum, nec spes opis ulla dabatur.
cessi et sublato montis genitore petivi.'

men, in das Land, wo der lydische Thybris durch die fetten, an Helden reichen Fluren mit sanfter Strömung dahinfließt. Dort wartet ein blühendes Gemeinwesen, eine Königsherrschaft und eine königliche Gattin auf dich; weine nicht mehr um die geliebte Creusa. Ich werde die stolzen Paläste der Myrmidonen und Doloper nicht [785] erblicken, noch werde ich griechischen Frauen dienen müssen, ich, aus dem Stamm des Dardanus und Schwiegertochter der göttlichen Venus; sondern mich hält die Große Mutter der Götter an diesen Gestaden fest. Und nun lebe wohl und sorge liebevoll für unseren gemeinsamen Sohn.‹ Sobald sie dies gesagt hatte, ließ sie mich in meinen Tränen, der ich vieles noch sagen wollte, [790] allein und entschwand in die dünnen Lüfte. Dreimal versuchte ich da, ihr meine Arme um den Hals zu legen; dreimal entglitt meinen Händen, vergeblich ergriffen, ihr Bild gleich dem Hauch des Windes und ganz ähnlich dem flüchtigen Traum. Dann erst komme ich schließlich am Ende der Nacht wieder zu meinen Gefährten. [795]

Und hier stelle ich staunend fest, daß eine riesige Zahl neuer Begleiter herbeigeströmt ist, Frauen sowohl wie auch Männer, eine junge Mannschaft, versammelt, um in die Fremde zu gehen, ein elender Haufen. Von allen Seiten kamen sie zusammen, mit Mut und Mitteln bereit, übers Meer in jedes von mir gewünschte Land der Erde zu folgen, um dort ansässig zu werden. [800] Schon erhob sich über den höchsten Kämmen des Idagebirges der Morgenstern und führte den Tag herauf; die Danaer hielten die Schwellen der Tore besetzt, und es gab keinerlei Hoffnung auf Hilfe. Ich ging weg, nahm meinen Vater auf die Schulter und strebte den Bergen zu.«

Zu 2,730–794

Zu dieser Ausgabe

Die Ausgabe enthält ungekürzt den *lateinischen Text* des 1. und 2. Buches der *Aeneis*. Er folgt der Ausgabe: *P. Vergili Maronis Opera*, rec. R. A. B. Mynors, Oxford: Clarendon Press, 1969 (Scriptorum Classicorum Bibliotheca Oxoniensis), mit Ausnahme folgender Stellen:

	Mynors	*Vorliegender Text*
1,343	auri	agri
429	apta	alta
670	nunc	hunc
708 f.	convenere; toris iussi discumbere pictis / mi- rantur ...	convenere, toris iussi discumbere pictis. / Mi- rantur ...
731	kein Absatz	
2, 21	kein Absatz	
67	kein Absatz	
234	kein Absatz	
347	kein Absatz	
	ardere	audere
349	audentem	audendi
581	Priamus?	Priamus,
587	ultricis †famam	ultricis flammae
721	kein Absatz	

Alle Abweichungen im Wortlaut stützen sich auf gute Varianten der älteren *Aeneis*-Überlieferung: die an zwei Stellen von Mynors' Ausgabe abweichende Interpunktion findet sich auch in anderen modernen Ausgaben; die zusätzlich markierten Absätze sollen den Text etwas stärker strukturieren.

Die *Übersetzung* – zumal die Prosaübersetzung eines epischen Originals – schließt einen nicht unerheblichen Substanzverlust ein. Die hier vorgelegte Übersetzung will in Vokabular und Stilhöhe die epische Vorlage angemessen wiedergeben, dabei nicht zu altmodisch, aber auch nicht gewollt modern klingen. Darüber hinaus wird versucht, die Struktur des Originaltextes anzudeuten, soweit dies nicht zu Mängeln im Ausdruck, zu Stilbrüchen oder Verständnisschwierigkeiten führt. Manchem Leser wird die Freiheit gegenüber dem

Original zu weit, manchem nicht weit genug gehen: Wir meinten,
dem kundigen Leser die Möglichkeit geben zu sollen, den schwieri-
gen Prozeß des Übersetzens über weite Strecken nachzuvollziehen.
Regelmäßig konsultiert wurde die – vorzügliche und originalnahe –
deutsche metrische Übertragung von J. und M. Götte, ferner die aufs
engste dem Original folgende französische Prosafassung von J. Perret und die einzige moderne deutsche Prosaübersetzung von
V. Ebersbach. Was letztere betrifft, so ergab sich an zahlreichen Stellen eine selbstverständliche Übereinstimmung; gelegentlich war
Ebersbachs Version so überzeugend, daß eine Alternativübersetzung
schwerfiel, an vielen Stellen meinten wir, Vergils Original präziser
oder näher am Wortlaut oder doch stilgerechter wiedergeben zu
können. Auch hier mag der Vergleich für den Kundigen reizvoll sein.

Siegmar Döpp und Reinhold Glei danken wir für gründliche Lek-
türe der Übersetzung und für eine Reihe treffender Formulierungs-
vorschläge.

Die *Anmerkungen* bieten die für das Verständnis erforderlichen
Sachinformationen. An einigen Stellen gehen sie auf das Verhältnis
Original – Übersetzung ein. Die interpretierenden Bemerkungen
sind gegenüber der Ausgabe *Vergil. Dido und Aeneas. Das 4. Buch
der Aeneis* (Stuttgart: Reclam, 1991; UB Nr. 224) verstärkt, um dem
Leser den Fortgang der epischen Handlung und deren historisches
Telos zu verdeutlichen sowie Strukturen und innere Bezüge der Erzählung aufzuzeigen. Die Hinweise auf Vorbilder, Parallelen, Nach-
ahmungen in Werken anderer Autoren sind dagegen auf ein Mini-
mum beschränkt.

Um die Anmerkungen zu entlasten, ist ein *Verzeichnis wichtiger
Eigennamen* angefügt sowie ein *Stammbaum*, der Vergils Version
der Aeneassage und deren historische Dimension erfaßt.

Einige wichtige Daten zu Person und Gesamtwerk Vergils sind in
einer *Zeittafel* zusammengestellt und dort mit Daten der politischen
Geschichte und der Kulturgeschichte parallelisiert.

Die *Literaturhinweise* beschränken sich auf einige Titel zu Vergils
Gesamtwerk, Bücher und Aufsätze zum 1. und 2. Buch der *Aeneis*
und die wenigen in den Anmerkungen mehrmals abgekürzt zitierten
Arbeiten.

Die *Illustrationen* schließlich sind der Vergil-Ausgabe von Sebastian Brant (Straßburg 1502, bei Johann Grüninger) entnommen und
geben ein frühes Beispiel der Rezeption des hier vorgelegten Textes.

Anmerkungen

Die Zahlen vor dem Text der Anmerkungen bezeichnen den erläuterten Vers oder den ersten Vers einer Versgruppe, auf die sich die Erläuterung bezieht. Stichwörter der Übersetzung, lateinische Wörter und Buchtitel sind kursiv gesetzt.

1. Buch

In einem Teil der *Aeneis*-Überlieferung finden sich vor V. 1 vier weitere Verse:

> *Ille ego, qui quondam gracili modulatus avena*
> *carmen, et egressus silvis vicina coegi*
> *ut quamvis avido parerent arva colono,*
> *gratum opus agricolis, at nunc horrentia Martis*
> *arma virumque cano ...*

Ich, der einstmals auf einfacher Hirtenflöte ein Lied spielte und, nachdem ich die Wälder verlassen, die benachbarten Fluren dahin brachte, dem Bauern, und sei er noch so gierig, zu Diensten zu sein, ein Werk, geschätzt von den Landleuten, nun jedoch singe ich von den Entsetzen erregenden Waffen des Mars und dem Helden, der ...

Diese auf Vergils frühe Werke *Bucolica* (*Hirtengedichte*) und *Georgica* (*Vom Landbau*) verweisenden Verse werden in modernen Vergil-Ausgaben meistens getilgt: Sie sind schwach bezeugt und passen nicht zum feierlichen Proömium eines epischen Gedichts; in Ausdruck und Stil sind sie schwer mit den nachfolgenden Versen vereinbar; sie zerstören den seit dem 1. Jahrhundert n. Chr. in römischer Literatur wiederholt zitierten Gedichtanfang *arma virumque cano*.

1 Die *Aeneis* beginnt – der Tradition epischer Dichtung seit Homer entsprechend – mit einem Proömium, d. i. einer kurzgefaßten Inhaltsangabe und dem konventionellen Anruf der Musen. Bei Vergil spricht man von einem engeren und einem weiteren Proömium. Gliederung:

1–11	engeres Proömium:
	1– 7 Inhaltliche Skizze des Epos
	8–11 Anruf an die Muse
12–33	weiteres Proömium:
	Ursachen für den Zorn der Iuno
	(Entfaltung von V. 4)
12–22	Zukunft: historische Perspektive
	(Rom und Karthago)
23–28	Vergangenheit: mythische Perspektive
	(Troia und Paris-Urteil)
29–33	Zusammenfassung
	(mit Entfaltung von V. 5–7)

Das engere Proömium weist zahlreiche Parallelen, aber auch signifikante Unterschiede zu dem der homerischen *Odyssee* auf. Schon in V. 1 weicht Vergil mit dem selbstbewußten *Ich singe* von der homerischen Bitte »Nenne mir, Muse, den Mann« deutlich ab: Sein Musenanruf folgt erst V. 8 und ist neu motiviert.

2 *durch Schicksalsspruch:* im Gegensatz zu Odysseus, der von Poseidon wegen der Tötung des Polyphem verfolgt wurde. Mit dem Wort *fatum* verweist Vergil zum frühestmöglichen Zeitpunkt auf die Mission des Aeneas, an deren Ende die Gründung eines neuen Troia stehen wird. *fatum* bedeutet eigentlich ›Spruch‹ (*fari* ›sprechen‹); nach römischer Vorstellung ist es der von den Göttern, besonders von Iuppiter, ausgesprochene Götterwille, ein fest bestimmtes Geschick: unvermeidliches, unwiderrufliches Verhängnis oder gutes bzw. schlechtes Lebenslos und das Lebensziel, der Tod. Der lat. Plural *fata* (vgl. 1,18) bezeichnet Schicksale einzelner Menschen oder die Parzen als Schicksalsgottheiten; in der Dichtung findet sich jedoch häufig der sog. poetische Plural. Die vorliegende Übersetzung verzichtet an den meisten Stellen auf eine Umsetzung ins Deutsche und bedient sich des Singulars »Fatum«. – *Gestade Laviniums:* Lavinium, hier schon genannt, obwohl erst von Aeneas gegründet. Die nach Lavinia, der Tochter des Latinus und Gemahlin des Aeneas, benannte Stadt beherbergte zahlreiche Kulte, unter ihnen besonders den in der *Aeneis* eine zentrale Rolle spielenden Penatenkult. Lavinium wird mit dem heutigen Pratica di Mare, unweit der Tibermündung, gleichgesetzt.

3 Fortsetzung der *Odyssee*-Anklänge: (*Odysseus,*) *der gar weit umhergetrieben wurde, . . . viel Mühsal auch ertragen mußte auf dem Meer . . .*; Od. 1,1–4). Vergil weist voraus auf *Aeneis* 1–6, die sog. *Odyssee*-Hälfte des Epos.

4 Die treibenden Kräfte des epischen Geschehens werden genannt, insonderheit der *unversöhnliche Zorn der grausamen Iuno:* Die Göttin Iuno ist Hauptgegnerin des Aeneas, das Beiwort *saevus* (›grausam, wütend‹) bezeichnet ihr Wesen; ihr Zorn wirkt bis zum Ende der epischen Handlung, daher die Mittelstellung zwischen V. 3 und V. 5 (Thematik der ersten *Aeneis*-Hälfte und der zweiten, die vom Krieg in Latium handelt).

5 In 1,5–7 gibt Vergil einen Ausblick in die Zukunft nach dem Einlenken der Iuno; er formuliert Ziele der Mission des Aeneas, die in zukunftsorientierten Passagen des Epos mehrfach wiederkehren: Gründung von Lavinium (s. Anm. zu 1,2) und Übertragung des Penatenkultes dorthin (Nahziel), Vereinigung von Troianern und einheimischen Latinern und Gründung von Alba Longa (ferneres Ziel), Gründung Roms (eigentliches Ziel, s. dazu auch die Zahlensymbolik 1,261–274).

8 Der Musenanruf ist von der üblichen Stelle, dem Buchanfang, abgerückt (s. Anm. zu 1,1; vgl. auch 7,37–46). Die Muse soll die *Beweggründe* (*causae*) des leidvollen Geschehens ins Gedächtnis rufen (*memorare*: als Tochter der »Erinnerung«, Mnemosyne), da diese außerhalb menschlichen Wissens und Verstehens liegen. Der Dichter sichert sich den Beistand der Muse, um die Spannung zu bewältigen, die darin begründet ist, daß Iunos *göttliches Wollen* (oder: Autorität, Majestät) verletzt wurde und dafür gerade Aeneas, das *Vorbild an Ehrfurcht,* büßen muß: Die *pietas,* also die gewissenhafte Erfüllung aller Verpflichtungen gegenüber Göttern, Vaterland, Eltern, Kindern, Freunden und sonstigen Anvertrauten, macht die Leiden des Helden für menschliche Vorstellung unverständlich. Daher – anders als im homerischen Epos – die dringliche Frage nach den göttlichen Ursachen der *labores* des *pius Aeneas* und weitergehend: Wie überhaupt gehen die Götter mit den Menschen um, wozu sind sie fähig, wie erklärt sich der Widerspruch zwischen menschlicher Frömmigkeit (*pietas*) und göttlicher Feindschaft (*irae*)? Eine Lösung des Theodizeeproblems nach dem Vorbild des Lukrez, den Beispiele von religiös motivierten Verbrechen zur Lehre Epikurs führten, war dem Epiker Vergil verwehrt.

12 Das »weitere« Proömium (s. Anm. zu 1,1) beginnt im Stil einer
   epischen Beschreibung (Ekphrasis). Mit der Erwähnung *Italiens*
   und der *Tibermündung* weist Vergil hier bereits auf den histori-
   schen Konflikt Rom–Karthago voraus; vgl. dazu »Didos Fluch«
   4,622–629 und Iuppiters Einleitung zur Götterversammlung
   10,6–15.

16 *Samos* ist nach griechischem Mythos Geburtsstätte der Iuno
   (griech. Hera) mit dem größten Tempel der Göttin. Hinter der
   Iuno von Karthago verbirgt sich vermutlich die einheimische
   Mondgöttin Tanit.

18 *Fatum:* s. Anm. zu 1,2. In ihrem Wunsch nach der Weltherrschaft Karthagos wird Iuno zur Verkörperung des Widerstan-
   des gegen das vom Fatum gewollte Weltreich der Römer (*Imperium Romanum*). Wie 1,20–22 zeigen, handelt Iuno bewußt gegen den Inhalt des Fatums.

27 *Das Urteil des Paris:* Bei der Hochzeit des Peleus mit Thetis
   hatte Eris, die Göttin des Streits, einen goldenen »Zankapfel«
   mit der Aufschrift »Der Schönsten!« unter die Hochzeitsgäste
   geworfen. Es kam zwischen Hera (Iuno), Athene (Minerva)
   und Aphrodite (Venus) um den Apfel zum Streit, den Paris auf
   den Rat des Zeus hin schlichten sollte. Paris entschied zugunsten der Aphrodite, angeblich weil ihm diese die schönste le-
   bende Frau, Helena, versprochen hatte. Dadurch machte er die
   beiden anderen Göttinnen zu Feindinnen der Troianer.

28 *Das verhaßte Geschlecht:* Die Königsfamilie Troias. Ihr Ah-
   herr Dardanus ging aus einem Ehebruch des Zeus mit der
   Atlastochter Elektra hervor. – *Ganymedes*, ein Urenkel des
   Dardanus, wurde von Zeus seiner Schönheit wegen an Stelle
   von Heras Tochter Hebe zum Mundschenk der Götter berufen.

32 *vom Fatum getrieben:* s. Anm. zu 1,2.18.

33 Der berühmte Vers faßt am Ende des Proömiums das Ziel (Telos) der ganzen epischen Handlung aus der Perspektive des
   Dichters zusammen.

34 *Sizilien:* Aeneas war mit seiner Flotte von Troia aus über die
   Halbinsel Chalkidike, die Inseln Delos und Zypern, die West-
   küste Griechenlands nach Süditalien und Sizilien gelangt; von
   der Westspitze der Insel war die Überfahrt nach der Westküste
   Italiens geplant. Hiervon berichtet später Aeneas am Hof der
   Königin Dido (Irrfahrtenerzählung: *Aeneis*, 3. Buch).

38 *König der Teucrer:* Aeneas, dessen Name erstmalig 1,92 genannt wird.

39 Iuno kennt den Inhalt des Fatums (s. Anm. zu 1,4.18); dennoch kämpft sie gegen die Bestimmung des Aeneas an und geht in ihrer Absicht weit über den homerischen Poseidon hinaus, der die Heimkehr des Odysseus nach Ithaka nicht endgültig verhindern möchte (vgl. Hom. Od. 5,286–290: Poseidons Selbstgespräch). Der von Iuno angestellte Vergleich bezieht sich auf ein Ereignis beim Untergang Troias (vgl. Aen. 2,403 ff.): Der sog. kleine *Aias*, Sohn des Oileus aus Lokris, riß im Tempel der Pallas Athene die Seherin Kassandra von der Statue der Göttin weg, (nach jüngerer Überlieferung:) um sie zu vergewaltigen; dabei riß er das Kultbild zu Boden. Athene bat Zeus, zur Bestrafung des Aias und der übrigen Griechen einen Seesturm zu senden (vgl. die Beschreibung Hom. Od. 4,499–510).

46 Die Antwort auf ihre besorgte Frage 1,48 f. (die den Untergang von Karthago voraussetzt: s. Anm. zu 1,16) erhält Iuno erst am Ende des Epos, wo Iuppiter ihr zusichert (12,840): »Kein Volk wird in gleicher Weise (wie die Römer) deinen Kult feiern.« Diese »Versöhnungsszene« wird eingeleitet durch Iuppiters Feststellung (12,830): »Du bist Iuppiters Schwester, das zweite Kind des Saturnus.« Die Szenen sind aufeinander bezogen.

52 *Aeolus* wurde von Iuppiter auf den Liparischen bzw. Aeolischen Inseln zum Herrscher über die Winde eingesetzt. »Vertraglich« war mit ihm geregelt, »auf Befehl« die Winde loszulassen oder eingeschlossen zu halten (1,62 f.). Aeolus überschreitet auf Iunos Bitte seine Kompetenzen (1,76 ff., vgl. die Zurechtweisung der Winde und ihres Königs durch Neptunus 1,132–141).

65 Die feierliche Bezeichnung für Iuppiter geht auf das homerische Epos zurück; Vergil zitiert ihre lateinische Fassung aus den *Annalen* des Ennius (fr. 175 V.). Ähnlich formelhaft 1,229.254. Iunos Rede beginnt im Gebetsstil.

68 Iunos Hinweis auf die *besiegten Penaten* unterstreicht ihre Absicht, ein neues Troia auf italischem Boden zu verhindern; ähnlich »propagandistisch« klagt der Latiner Venulus, »Aeneas sei mit der Flotte (an der Küste von Latium) gelandet, er bringe die besiegten Penaten mit und behaupte, das Fatum fordere ihn als König« (8,11 f.); vgl. 1,6 und 2,320.

72 Iuno, die Göttin der Ehe, will Aeolus mit dem Bestechungsgeschenk in Gestalt der Nymphe *Deiopeia* veranlassen, seine Befugnisse zu überschreiten.

76 Aeolus schiebt die Verantwortung für das kommende Geschehen der *Königin* Iuno zu; er unterstreicht deren Macht durch den Gebrauch hymnischen Stils (*du*-Anapher).

82 Die *Aeneis* ist reich an Metaphern, Vergleichen und Gleichnissen, die dem militärischen Sektor entnommen sind. Der Versschluß *agmine facto* kehrt 1,434 innerhalb des Bienengleichnisses wieder.

92 *Aeneas* erscheint bei der ersten Nennung seines Namens und dem ersten Auftreten als handelnde Person nicht als selbstbewußter, strahlender, tapferer Held. Hilflos angesichts der hereinbrechenden Naturgewalten stößt er einen tiefen Seufzer aus, und sein Gebet (1,94 ff.) wird zu einer am Vergangenen, an Troia orientierten Klage. Der Gedanke an die dem Helden inzwischen hinreichend bekannte göttliche Bestimmung (*Romanam condere gentem:* 1,33) unterbleibt. Diomedes, der *Sohn des Tydeus*, hätte Aeneas getötet, wenn Venus ihrem Sohn nicht zu Hilfe gekommen wäre; *Hector* unterlag Achilles, dem Enkel des Aeacus (dem *Aeaciden*); der Lykier *Sarpedon* wurde ein Opfer des Griechen Patroclos. Vergil nennt namentlich je zwei der größten Helden des griechischen und troianischen Lagers. Das Bild des leichenwälzenden Flusses *Simois* wird nach der Landung der Troianer an der Küste Italiens in Prophezeiungen übertragen auf den Tiber und die Kämpfe in Latium (vgl. 6,86 ff.; bes. 8,538–540).

109 Mit den *Altären* sind vermutlich zwei dem Golf von Tunis vorgelagerte Inseln gemeint; Plinius (nat. hist. 5,42) spricht von »den zwei Aegimuroe, dem Golf von Karthago gegenüber, Arae genannt, eigentlich eher Klippen als Inseln, zwischen Sizilien und Sardinien«. In einer für ihn typischen Parenthese teilt Vergil nach dem Vorbild alexandrinischer Dichter antiquarisches Wissen mit.

120 *Ilioneus* tritt später vor Königin Dido und vor König Latinus in Abwesenheit des Aeneas als Sprecher der Troianer auf; Aeneas trifft ihn erst in Karthago wieder (s. 1,520 ff.). – *Achates* gehört zu den an der Küste Libyens geretteten Troianern und begibt sich später mit Aeneas auf den Weg nach Karthago (s. 1,305 ff.).

125 *Neptunus* kann als Gott des Meeres die in seinem Machtbereich entfesselten Naturgewalten beruhigen. Er durchschaut Iunos Tücke (1,130); seine schon vor Troia bewiesene Schutzfunktion für Aeneas (vgl. 5,804–813; Hintergrund Hom. Il. 20,318 ff.) läßt ihn auch jetzt zugunsten des Aeneas eingreifen. Neptunus gehört in der *Aeneis* zu den göttlichen Mächten, die dem Fatum, also der auf Rom gerichteten Mission des Aeneas zum Ziel verhelfen (s. auch Anm. zu 1,148).

131 Die Winde sind Kinder der Aurora: Neptunus, dem beim Losen mit seinen Brüdern Iuppiter und Pluto das Meer als Herrschaftsbereich zugefallen war (1,138 f.), weist sie wegen ihrer Vermessenheit erregt (s. die Aposiopese 1,135) zurecht, verzichtet aber auf Bestrafung. Seine Botschaft an die eigentlich Schuldigen, den weisungsgebundenen Aeolus (s. Anm. zu 1,52) endet in Ironie.

144 Die Meeresnymphe *Cymothoë*, eine der fünfzig Töchter des Meeresgottes Nereus (»Nereiden«), und *Triton*, ein untergeordneter Meeresgott, treten als Helfer des Neptunus auf, der durch sein bloßes Erscheinen die Elemente beruhigt hat.

148 Das hier beginnende »Staatsmann-Gleichnis« ist das erste von gut 100 Gleichnissen der *Aeneis* und vermittelt als solches viel von deren Funktion. Die Bedeutung des Gleichnisses ist nur unter Einbeziehung der Beschreibungen 1,52 ff. (gebändigte Winde) und 1,102 ff. (Wüten der losgelassenen Winde) zu ermitteln. Das Gleichnis setzt Großes zu Kleinem, Natürlich-Elementares zu Politischem, göttliches zu menschlichem Ordnungsstiften in Beziehung; dabei hat der Dichter vermutlich kein spezielles historisches Ereignis im Blick, läßt aber in dem ordnungsstiftenden Handeln des typisch römisch gezeichneten Staatsmanns die historische Welt Roms sichtbar werden und verweist wohl sogar konkret auf die Überwindung republikanischer Zwietracht durch die neue politische Ordnung des Augustus. Somit deutet das Gleichnis voraus auf die von Iuppiter prophezeite Befriedung der römischen Welt (1,286–296) und erweist sich als eines der erzähltechnischen Mittel Vergils, Mythos und Geschichte, mythische Handlung des Epos und ihr historisches Telos (s. Anm. zu 1,33) zu verbinden.

177 *Getreide und die Geräte der Ceres:* Die Metonymie des Originaltextes – *Ceres* statt Getreide, Feldfrucht – läßt sich in der Übersetzung nicht nachbilden; mit *Geräte der Ceres* sind Ge-

rätschaften gemeint, die dem Funktionsbereich der Göttin zu-
zuordnen sind, Kornmühlen, Siebe u. ä.

200 Von den Gefahren der *Scylla* (und Charybdis) berichtet Aeneas
in der Irrfahrtenerzählung 3,554–569, vom Land der *Kyklopen*
um den Ätna auf Sizilien und seinen dortigen Abenteuern
3,570–683.

205 Die Verheißung sicherer bzw. *friedlicher Wohnsitze* in einem
Land im Westen wird Aeneas vom Untergang Troias an mehrfach zuteil: noch ganz unbestimmt in der Traumerscheinung
Hectors (2,289–295); Hesperien (›Abendland‹) heißt das Ziel
aus dem Mund der Gattin Creusa (2,780–782; hier wird bereits
der Tiber genannt); Hesperien, Italien und Ausonien sind
gleichbedeutende Zielangaben in der auf Apollos Geheiß ausgesprochenen Weisung der Penaten (3,163–171); Ausonien, Hesperien, dazu den Tiber nennt Aeneas selbst beim Abschied von
dem Apollopriester Helenus in Buthrotum (3,495–505). Die
früher oft gestellte Frage, woher Aeneas 1,205 den Namen *Latium* kenne, vernachlässigt die Entstehungsgeschichte des Epos
und die Erzählhaltung des Dichters.

220 Zum ersten Mal wird Aeneas hier das häufige Beiwort *fromm*
(*pius*) gegeben, nachdem ihn bereits das Proömium einen *durch
Frömmigkeit sich auszeichnenden Helden* (*insignem pietate virum* 1,10; s. Anm. zu 1,8) nannte. Der *pius Aeneas* beklagt das
Unglück der seiner Führung anvertrauten Gefährten; seine
Klage ist auch vor dem Hintergrund des Zieles zu sehen, das
der *pius Aeneas* verfolgt, die neue Heimat für die Götter Troias
und die Troianer (s. 1,204–206); sie weist voraus auf die Klage
der Venus und die Zukunftsgarantie für die Aeneaden durch
Iuppiter (1,223–296). Daß *pietas* seit augusteischer Zeit eine der
herausragenden Tugenden des Princeps ist, schwingt bei ein-
schlägigen Stellen der epischen Erzählung häufig mit.

223 *Iuppiter* erscheint hier als Himmelsgott, der die ganze Welt
überblickt, ihre Geschicke nach Maßgabe des Fatums beeinflußt, Sturm, Regen, Donner und Blitz sendet, aber Himmel
und Wetter auch wieder aufheitert (s. 1,255). Der Blick aus Karthago verursacht ihm *Sorgen* (*curas* 1,227; vgl. die *curae* des Aeneas 1,208), und unerwartet spricht ihn seine ihrem Wesen nach
heitere (die »gern lächelnde« bei Homer, vgl. hier *strahlend*)
Tochter Venus an, düster (*tristior*) und weinend (*lacrimis*). Iup-

piters Auftreten (1,254–256) nimmt die folgende »Aufklärung«
und die Bestätigung der alten Verheißung vorweg.

229 Der Anrede fehlt jeder Hinweis auf das persönliche Vater-
Tochter-Verhältnis: Venus spricht zum »Herrscher des Himmels und der Erden« (Ausdruck nach Hom. Od. 20,112 u. ö.;
vgl. 1,241 *großer König*); nur die Erinnerung an das Versprechen des Vaters (1,237) klingt vertraulich. Kontrastierend
hierzu: Mutter-Sohn-Verhältnis (1,231 *mein Aeneas*) und die
vorwurfsvolle Solidarisierung am Ende der Rede (1,250 *wir,
deine Nachkommen, werden* ...; 253 *setzt du uns so* ...).
Schließlich die ganz entgegengesetzte Haltung des *Schöpfers der
Menschen und Götter* (1,254; s. Anm. zu 1,65): Der Vater lächelt, küßt die Tochter, nimmt ihr die Furcht, tröstet sie.

242 *Antenor*, der »Verständige«, gab in einer Versammlung der Troianer den Rat, Helena an Menelaos zurückzugeben (Hom. Il.
7,347–353). Die *Achiver* (= Achäer = Griechen) ließen ihn daher
beim Fall Troias unbehelligt, so daß er mit seinen Söhnen und
Leuten vom thrakischen Stamm der Eneter (Veneter) über den
illyrischen Golf nach Norditalien kam, wo er die Stadt *Patavium* (Padua) gegründet haben soll. Übertreibend sagt der
Dichter, der Küstenfahrer Antenor sei tief ins Land der gefürch-
teten *Liburner* (das heutige Kroatien) gelangt. Der unterirdi-
sche Karstfluß *Timavus* (heute Timavo) bricht nördl. von Triest
in neun (bzw. sieben) »Quell«-Armen kurz vor der Mündung
aus der Erde hervor. Die geographischen Begriffe in 1,242–246
signalisieren Mühen und Gefahren; im Kontrast dazu stehen die
Bilder der Ruhe und des Friedens 1,247–249, die auf *Antenors*
Herrschaft in *Patavium* das Licht des Goldenen Zeitalters werfen (vgl. 7,45–49 und 8,321–325 Latinus und Saturnus als Frie-
denskönige in Latium). Für die Argumentation der Venus ist
entscheidend, daß *Antenor* im Gegensatz zu Aeneas das *Ende
der Qualen* (1,241) erreicht, sein »neues Troia« gebaut hat; die
wahrhaft kosmischen Ausmaße der Bestimmung des Aeneas
(1,250) beeinträchtigen die Überzeugungskraft des *Antenor*-
Beispiels.

254 Siehe Anm. zu 1,229.

257 Die Trostrede Iuppiters an seine Tochter Venus ist die erste von
drei großen Vorausschauen des Epos, die darauf angelegt sind,
als Erfüllung der epischen Handlung die Gründung Roms,

seine Geschichte und deren Höhepunkt im Prinzipat des Augustus sichtbar zu machen (vgl. die sog. Heldenschau 6,756–886; die Schildbeschreibung 8,626–728). Die Vorausschauen geben dem Leser deutliche Hinweise darauf, wie er bestimmte Gestalten und Ereignisse der römischen Geschichte, insbesondere der Zeitgeschichte mit solchen der epischen Erzählung verbinden soll, wie letztere erstere präfigurieren. So erläutert z. B. Iuppiter seiner Tochter umständlich und gelehrt, daß der Sohn des Aeneas, *Ascanius* (1,267), *Ilus* hieß (nach dem Vorfahren und Gründer von Ilion/Troia), nun aber (in Italien) den Beinamen *Iulus* tragen soll; der Leser weiß, daß dieser *Iulus* das entscheidende Bindeglied war, um aus dem Aeneas-Mythos, dem Ursprungsmythos der Römer, den Familienmythos der Gens Iulia zu machen, mit dessen Hilfe die Iulier ihren Herrschaftsanspruch in Rom legitimieren konnten (s. dazu Stammbaum S. 182). Durch die genealogische Konstruktion wird zum frühestmöglichen Zeitpunkt geklärt, daß Augustus (ein Iulier durch Adoption) Nachkomme des Aeneas ist, mehr noch: daß in Aeneas Eigenschaften und Verhaltensweisen angelegt sind, die sich in der Gestalt des Princeps Augustus wiederfinden und in ihr zur höchsten Entfaltung kommen, daß Aeneas und Augustus also typologisch aufeinander bezogen sind. Diese Beziehung soll der Leser auch an den Stellen aufsuchen, wo die epische Erzählung nicht ausdrücklich auf das historische Telos verweist. In der Rede des Iuppiter wird dieser Mechanismus mehrfach deutlich: etwa im Hinweis auf die *Unterwerfung der Rutuler* (1,266) und in der Prophezeiung der Siege des Augustus im Osten (1,289 f.) oder in der Garantie Iuppiters für die Vergöttlichung des Aeneas (1,259 f.) und der Verheißung, daß auch Augustus für den Himmel bestimmt ist (1,289 f.).

258 Iuppiter orientiert seine Antwort – z. T. wörtlich – an der Klage der Tochter, vgl. z. B.: 257 f. *immota . . . fata* / 239; 258 *promissa* / 237; 259 *ad sidera caeli* / 250; 260 *sententia vertit* / 237.

265 Das Spiel mit der magischen Dreizahl (3 + 30 + 300 Jahre bis zur Geburt der Zwillinge Romulus und Remus) betont den im Fatum vorherbestimmten »Fahrplan« der römischen Geschichte und damit der Weltgeschichte (s. 1,278–282).

267 *Ascanius:* zu seiner »genealogischen« Funktion s. Stammbaum S. 182 und Anm. zu 1,257.

271 *Alba Longa*, vermutlich am Platz des heutigen Castelgandolfo
zu lokalisieren, soll von Ascanius gegründet worden und bis
zur Gründung Roms Sitz der latinisch(-troianisch)en Könige
gewesen sein (zur Gründungsgeschichte s. 8,42–48). Während
Romulus in älterer Überlieferung noch als Sohn oder Enkel des
Aeneas gilt, ist seit den Anfängen der römischen Geschichts-
schreibung an der Wende vom 3. zum 2. Jahrhundert die Lücke
zwischen Aeneas/Ascanius und Romulus durch die sog. alba-
nische Königsreihe gefüllt, an deren Spitze Silvius steht, ein
nachgeborener Sohn aus der Ehe des Aeneas mit Lavinia: Dieser chronologisch bereinigten Sagenversion folgt auch Vergil.
Zum Silvier-Haus gehört schließlich auch die Mutter der Zwillinge, Rhea Silvia: Sie heißt hier *Ilia*, um die genealogische Verbindung zum Aeneassohn Ilus/Iulus (s. Anm. zu 1,257) zu
betonen.

276 Der Name *Römer* leitet sich von *Romulus* her: Dies ist die erste
von über 40 aitiologischen Angaben und Erzählsequenzen der
Aeneis. Aitiologien verbinden Namen, Orte, Kulte, Bräuche,
die zur Zeit des Dichters (noch) existieren, mit einem Ereignis
des Mythos bzw. erklären ihre Entstehung aus dem Mythos.
Dieses typisch hellenistische Element der epischen Erzählung
wird von Vergil wiederholt in Anspruch genommen, um das historische Telos eben dieser Erzählung zu vermitteln. Wie der
Leser solche Angaben verstehen soll, wird ihm (aus dem Mund
des Iuppiter!) erklärt: Das für die Weltherrschaft auserlesene
*Römer*volk trägt seinen Namen nach dem Stadtgründer *Romulus*; der »Troianer« Caesar (Augustus), der Weltherrscher auf
dem Gipfel der römischen Geschichte, ist ein *Iulier*, also Mit-
glied der Familie, die ihren Namen auf den Aeneassohn Iulus
zurückführt (s. 1,286–288).

284 Das *Haus des Assaracus*, des Urgroßvaters des Aeneas, steht
hier für die von Troia abstammenden Römer, die im 2. Jahrhundert v. Chr. Griechenland erobern und damit die Zerstörung
Troias durch die Griechen wettmachen werden: Die thessalische
Stadt *Pthia* sowie *Mykene* und *Argos* vertreten Griechenland.

286 *Caesar, ein Troianer:* s. Anm. zu 1,257 und 276.

292 Iuppiters Prophezeiung des durch Augustus wiederhergestell-
ten inneren Friedens, der Pax Augusta. Als Garanten der römischen Rechtsordnung werden *Fides* und *Vesta* genannt: Erstere,

die Göttin von »Treu und Glauben«, erhielt bereits Mitte des
3. Jahrhunderts v. Chr. in Rom einen Tempel; *Vesta*, hier Hüte-
rin des staatlichen Herdfeuers und damit der Existenz Roms,
wird 2,293–297 neben den Penaten zu den von Aeneas aus dem
brennenden Troia geretteten »Heiligtümern« genannt. Im Bild
der gemeinsam herrschenden Zwillinge Romulus, der seit seiner
Apotheose den Namen *Quirinus* trägt, und *Remus* wird auf die
Überwindung der durch den Brudermord symbolisierten römischen Zwietracht und die Beendigung der Bürgerkriege durch
Augustus verwiesen. – *Recht schaffen* ›über das Recht wachen‹
bzw. ›Rechtsnormen setzen‹ (*iura dare*) ist dem Herrscher vorbehalten; in der *Aeneis* wird die qualifizierende Wendung mit
Dido (1,507), Iuppiter (1,731), Aeneas (3,137), Acestes (5,758),
Priamus (7,246), Saturnus (8,322) verbunden sowie mit dem
Republikaner Cato, dem die Rechtspflege im Elysium obliegt
(8,670); dazu G. Binder, *Aeneas und Augustus*, S. 89–95, 209
bis 211.

294 Wie alt der Brauch, bei Kriegsende *die Pforten des Krieges* zu
schließen, wirklich ist, läßt sich kaum mehr ermitteln: Als Augustus 29 v. Chr. den Ianustempel schließen ließ, belebte er
einen älteren Brauch wieder oder setzte den symbolischen
Akt neu ein. Livius verbindet dessen Begründung mit Numa,
dem zweiten König Roms (Liv. 1,19,2), Vergil in einer Aitiologie (s. Anm. zu 1,276) sogar mit König Latinus, um den Effekt
zu erzielen, Iuno persönlich habe die *Pforten des Krieges* aufge-
stoßen zum Zeichen des Krieges in Latium (s. die mit unserer
Stelle verwandte Beschreibung 7,601–625).

297 Mercurius, der *Sohn der Maia* und des Iuppiter, wird als Göt-
terbote zu Königin *Dido* gesandt, um einen freundlichen Empfang der Troianer in *Karthago* vorzubereiten (*Karthago* bedeutet in punischer Sprache ›Neu-Stadt‹, daher an dieser Stelle
wohl *novae . . . Karthaginis*): Von *Dido*, hier erstmalig genannt,
wird in tragischer Ironie gesagt, sie sei *in Unkenntnis des
Fatums*, d. h. sie kennt nicht die Bestimmung und Mission des
Aeneas und ahnt nichts von ihrem eigenen hieraus erwachsen-
den Schicksal. *Mercurius* wird später von Iuppiter beauftragt,
Aeneas nachdrücklich zum Abschied von Karthago zu mahnen,
um das höhere Ziel – die Entstehung Roms – nicht zu gefähr-
den (vgl. 4,219 ff., 553 ff.).

305 *Der pflichtbewußte Aeneas:* s. Anm. zu 1,220.

314 Die hier beginnende Epiphanie der Göttin Venus vor ihrem
    Sohn Aeneas reicht bis 1,417 und gliedert sich wie folgt:

(1) 314–324 Begegnung

(2) 325–371 Erstes Redenpaar

(3) 372–401 Zweites Redenpaar

(4) 402–417 Erkennungsszene, Entweichen der Göttin

Im Hintergrund stehen die Szenen Hom. Od. 7,19 ff. und
13,221 ff. (Athena–Odysseus).

316 Die als Jägerin auftretende Venus wird mit *Harpalyke*, Tochter
    des Thrakerkönigs Harpalykos, verglichen: Sie war von ihrem
    Vater zu einer hervorragenden Kriegerin und Jägerin erzogen
    worden.

325 Aeneas erkennt in der vor ihm stehenden Jägerin die Gottheit,
    noch nicht die Mutter: Anrede im Gebetsstil; Vergleich mit der
    Jägerin Diana, *Schwester des Phoebus*; Bitte um Hilfe; Verspre-
    chen von Opfergaben.

335 Venus gibt sich als Punierin aus, für die das Jagen in Gemein-
    schaft von Freundinnen normal ist; auch sie trägt offenbar den
    hohen geschnürten Jagdstiefel *Kothurn* (die Farbbezeichnung
    purpurn spielt auf *punic(e)us* ›purpurrot‹ an). Die Göttin hebt
    Didos Hauptstadt vom feindlichen libyschen Umland ab und
    erweckt in Aeneas Interesse für die Königin.

338 Karthago heißt *Stadt des Agenor*, der als erster König von Ty-
    rus galt; nach dem Mythos ist er Didos Großvater bzw. Onkel.

353 Didos ermordeter Gatte Sychaeus konnte *unbestattet* nicht den
    Unterweltfluß Styx überqueren, um ins Totenreich zu kommen
    (er begegnet Dido allerdings später in den »Trauergefilden« der
    Unterwelt: vgl. 6,473 f.).

357 Das *Flucht*-Motiv (vgl. auch 1, 341.360) verbindet Didos Schick-
    sal mit dem anderer herausragender Gestalten des Epos (Satur-
    nus, Euander: 8,319–336) und besonders mit dem des Aeneas
    (s. schon 1,1–7). Allerdings ist Didos Bau des *neuen Karthago*
    (s. Anm. zu 1,297) bereits vorangeschritten, während Aeneas von
    seinem Ziel, der Gründung eines »neuen Troia« (s. 1,5–7, vgl.
    437) nach wiederholtem Scheitern weit entfernt ist.

367 Die Gründungslegende Karthagos nach Vergil: Iarbas, Sohn des
    Gottes Hammon und König der nordafrikanischen Gaetuler
    (vgl. 4,35 ff.) verkaufte Dido so viel Land, wie auf eine Stierhaut
    gehe. Dido schnitt die Haut in schmale Streifen und grenzte da-

mit ein hinreichend großes Gebiet für die karthagische *Burg* ab, die davon den Namen *Byrsa* erhalten haben soll. Nach Strabo (*Geographica* 832,14) ist griech. *Byrsa* jedoch identisch mit pun. *Bosra* ›steile Anhöhe, Zitadelle‹.

378 Die stolz klingenden Worte der Selbstvorstellung des Aeneas sind eingebettet in die Schilderung seines Unglücks: Sie umschreiben die ihm vom Fatum zugewiesene Aufgabe, deren Verwirklichung sich scheinbar unüberwindliche Hindernisse in den Weg stellen. Der *ehrfürchtige Aeneas* (s. Anm. zu 1,220) führt Troias Existenz in Gestalt der beim Untergang der Stadt *dem Feind entrissenen Penaten* (vgl. 2,289–297.717–720) mit sich. Das Ziel *Italien* als *Land seiner Väter* kennt Aeneas aus einer Weisung der im Auftrag Apollos sprechenden Penaten (vgl. die Irrfahrtenerzählung 3,148–191 und Anm. zu 1,205). Zur Genealogie s. Stammbaum S. 182, zur Form der Selbstvorstellung Hom. Od. 9,19 f.

390 Venus gibt – sich als Gottheit jetzt hinter den menschlichen Kenntnissen der *Vogelschau* verbergend – Aeneas ein hoffnungsvolles Zeichen: Zwölf *Schwäne*, gejagt von *Iuppiters Adler*, stehen gleichnishaft für die zwölf verloren geglaubten Schiffe (ein sog. *augurium oblativum*: s. Anm. zu 2,679 ff.); ihre Rückkehr in die Höhen des Himmels (397 *reduces*) symbolisiert die Rückkehr der Gefährten (390 *reduces*) aus den Gefahren des Seesturms; die Schwäne sind der Venus heilig. Daß es sich um ein positives Zeichen handelt, signalisiert bereits das Stichwort *froh* (393 *laetantis*, vgl. 397 *ludunt*).

402 Die »Enthüllung« der Gottheit, ihre Offenbarung, wird mit den hierfür typischen Aspekten geschildert: Licht und *Duft*, fließendes *Haar* und *Gewand*, majestätischer *Gang*. Mit ihr korrespondiert die »Verhüllung« des Aeneas und seines Begleiters, ein schützender Akt der göttlichen Mutter (gestaltet in Anlehnung an Hom. Od. 7,14–17.40–42: Athene–Odysseus), der dann die das ganze Karthago-Geschehen vorbereitende, ja eigentlich schon entscheidende Szene ermöglicht, in der Aeneas wie ein junger Gott aus der Wolke tritt, auf Dido zugeht und sie anspricht (1,586–596).

415 Venus ist es gelungen, Aeneas auf den Weg nach Karthago, zu Königin Dido, zu bringen. Im Gefühl des Erfolgs kehrt sie *froh* (416 *laeta*) nach *Paphus* zurück, einem Hauptkultort der Aphrodite/Venus.

421 Das Motiv des Wunderns und Staunens (meistens: *mirari, obstupescere*), oft verbunden mit dem der Freude (*laetari, gaudere*), kehrt im Verlauf des Epos bei der Person des Aeneas und seinen jeweiligen Gesprächspartnern mehrfach wieder, vgl. für Buch 1 etwa V. 456.494 f.513.613. Im 8. Buch, wo Aeneas auf der Suche nach Verbündeten zum ersten Mal den Platz des späteren Rom betritt, kennen Staunen und Freude keine Grenzen (vgl. Binder, *Aeneas und Augustus*, S. 78–80). – Für die *Hütten* steht im lat. Text das punische (karthagische) Wort *magalia*, das von römischen Autoren unterschiedlich mit ›runden Viehpferchen‹ oder ›punischen Hirtenhütten‹ aus Stroh und Schilf erklärt wird.

426 Die Angaben dieses (eindeutig an dieser Stelle überlieferten) Verses stören das Bild der vielerlei Bautätigkeiten. Allerdings finden sich Hinweise auf Gesetzgebung, Schaffen von Institutionen, Besetzen von Ämtern auch sonst in Stadtgründungssagen: Derlei konnte Aeneas beim Blick auf die Betriebsamkeit in den Sinn kommen, sehen konnte er es nicht. Mit dem Vergleich Karthager–Bienen korrespondiert – beim »Abschied« aus Troia – der Vergleich Troianer–Ameisen (4,397–411).

437 Vgl. Anm. zu 1,357. Der Weg des Aeneas führt, so will es das Fatum, zu den ›Mauern der hochragenden Roma‹ (1,7 *altae moenia Romae*); an dieses Ziel seiner Mission muß ihn Mercurius in Iuppiters Auftrag bald erinnern: vgl. 4,222–237.265–276.

441 Die hier beginnende, bis V. 493 reichende Übergangsszene bereitet kunstvoll den Auftritt der Königin Dido vor; sie ist als epische Beschreibung (Ekphrasis) von Bildern gestaltet, die Aeneas am Tempel der Iuno bestaunen konnte. Eingeleitet wird diese durch die Ursprungsgeschichte des Tempels, des Mittelpunktes der künftigen Stadt: Den *Kopf eines feurigen Pferdes* zeigt einer der beiden Haupttypen karthagischer Münzprägung (vergleichbar den römischen Prägungen mit der Wölfin und den Zwillingen).

446 Dido wird hier erstmalig *Sidonierin* genannt (vgl. 1,613): Tyrus, die Mutterstadt Karthagos, wurde von Sidon aus gegründet. Dementsprechend auch *urbs Sidonia* metonymisch für Karthago (vgl. 1,677 f.).

450 Der staunende Aeneas (s. Anm. zu 1,421) schöpft aus den Bildern am Iunotempel Hoffnung und neue Zuversicht. Über die Kunst als »Medium der Verständigung, zur Bewältigung des

Leides, zu seiner Überwindung durch Bewahrung« vgl. Glei,
Der Vater der Dinge, S. 130–133: Hier geht es zunächst um
»Bewältigung« des troianischen Krieges und seiner unmittelba-
ren Folgen. Noch weiter reicht – auch für den staunenden Betrachter Aeneas (8,730) – die Funktion eines anderen Kunstwer-
kes, des von Vulcanus für Aeneas gefertigten Schildes (dessen
Beschreibung: 8,626–728; vgl. dazu Binder, *Aeneas und Augustus*, S. 150–270). Im übrigen entsprechen die einzelnen Szenen
am Iunotempel Ereignissen der Kämpfe in Latium, die Aeneas
erwarten (Buch 9–12), einschließlich der Tötung des Turnus
durch Aeneas.

458 Der *Atride* Agamemnon hatte dem *Achilles* die schöne Kriegs-
gefangene Briseis weggenommen (Hom. Il. 1).

462 Eingebettet in die dreimalige Erwähnung der »Tränen« des
Helden Aeneas (459.465.470) steht die Wendung *sunt lacrimae
rerum*, die zweifellos (unserer Übersetzung gemäß) in Verbindung mit den Bildern vom troianischen Krieg das Vorhanden-
sein mit-menschlicher Gefühle bei den Puniern vermitteln soll,
der Fähigkeit, Unglück und Leid ebenso wie menschliche
Größe zu würdigen. Natürlich ist die im Bildzyklus beginnende, zunächst wenig motiviert scheinende »Sympathie«-Be-
kundung für Troia und die Troianer ein wirkungsvolles Mittel
des Dichters, um die Ereignisse im 4. Buch der *Aeneis* anzubah-
nen und Didos Tod die rechte tragische, auch »historische« Dimension zu verleihen. Eine vom Kontext sich lösende Interpre-
tation deutet *sunt lacrimae rerum* in der allgemein menschlich-
philosophischen Perspektive, daß es auf Erden ›Dinge gibt, die
Tränen erfordern‹, auf die der Mensch nur mit Tränen antworten kann. Diese vergilischem Denken durchaus konforme Deutung bedarf allerdings der Ergänzung, daß solches Reagieren
nicht resignativ, sondern als Durchgangsphase bzw. Heilungs-
prozeß zu verstehen ist.

469 Der Thrakerkönig *Rhesus* kam den belagerten Troianern zu
Hilfe. Ein Orakelspruch besagte, daß Troia nicht fallen werde,
wenn die Pferde des *Rhesus* aus dem *Xanthus* (dem Skamander)
getrunken hätten: Dem kam Diomedes, der *Sohn des Tydeus*,
zuvor.

474 *Troilus*, Sohn des Priamus, wurde zu Beginn der Kriegshand-
lungen von Achilles überfallen und hinter seinem Wagen von
den scheuenden Pferden zu Tode geschleift. Auch er wäre –

nach dem Orakel – ein Garant für Troias Existenz gewesen,
wenn er mindestens 20 Jahre alt geworden wäre.

479 Zwischen den Kampfszenen das Bild der Troianerinnen, die der
bisher hilfreichen, nach dem Tempelfrevel des Odysseus und
des Diomedes aber zürnenden Stadtgöttin Pallas zur Sühne ein
Prachtgewand anboten (s. Anm. zu 2,162). – *Gelöste Haare* sind
Zeichen der Trauer, das Schlagen der *Brust* ist Trauergestus.

483 Übergangslos folgt das Bild des grausamen *Achilles* (mit dem
Plusquamperfekt *raptaverat* verläßt Vergil die reine Bildbeschreibung) und der »Lösung« der Leiche *Hectors* durch *Priamus* (wobei – im Gegensatz zur hom. Darstellung Il. 12.468 ff.
– Achilles Habgier vorgeworfen wird: Vgl. hierzu 2,268 bis
286.535–543, wo in den Worten des Priamus zu Achilles' Sohn
Pyrrhus das Habgiermotiv völlig fehlt).

490 Auch *Penthesilea*, Königin der *Amazonen*, wurde ein Opfer des
Achilles: Vgl. das Gleichnis Camilla/Penthesilea – italische
Kämpferinnen/Amazonen 11,648–663.

494 *Dardaner* wird Aeneas hier erstmalig genannt als Nachkomme
des Dardanus, vgl. Stammbaum S. 182. – *bewundernswert,
staunte:* s. Anm. zu 1,421.

497 Vergil eröffnet und schließt Stränge der epischen Handlung
häufig durch Gleichnisse, um die innere Spannung zu steigern.
Im *Dido/Diana*-Gleichnis wird der erste Auftritt der *Königin*
als frohes, bewegtes Bild gestaltet, das im Bewußtsein des Le-
sers mit dem späteren Schmerz der verlassenen Dido kontra-
stiert, mit dem Tod der Königin und (historisch) mit dem Untergang Karthagos. Aeneas als Betrachter des Auftritts: Indem
der Leser die innere Bewegung des Helden nachvollzieht und
im Bild die erste, noch indirekte Andeutung der künftigen
Liebe des Aeneas zu Dido erahnt, erfüllt das Gleichnis seine
vorausdeutende Funktion. Bedeutsame Entsprechungen und
Verbindungen unterstreichen dies: In Buch 4 wird Aeneas vor
dem Ausritt zur Jagd, die in der Vereinigung der Liebenden
während des Unwetters kulminiert, mit Apollo verglichen,
Dianas Bruder (140–150); vom Harpalyke-Gleichnis (1,314 bis
320) über das Diana-Gleichnis und den Vergleich der von Lei-
denschaft verzehrten Dido mit einer vom Pfeil getroffenen
Hirschkuh (4,65–73) zieht sich das »tragische Leitmotiv« der
Jagd bis zur eigentlichen Jagdszene (4,129–172). Vgl. bes.
Pöschl, *Die Dichtkunst Virgils*, S. 84–94.

507 *Sie gab ... Gesetze:* s. Anm. zu 1,292.
530 Die Verse 1,530–533 finden sich als Dublette wörtlich in den
    Worten der Penaten 3,163–166; der hier folgende »Halbvers«
    weist ebenfalls auf die nicht erfolgte Schlußredaktion des Epos.
    – *Hesperien* als Ziel des Aeneas und seiner Begleiter erscheint
    erstmalig – in Verbindung mit dem Tiber, aber ohne die Kon-
    kretisierung Italien – in der Prophezeiung der Creusa 2,780 bis
    784, also im Bericht über den Untergang Troias (s. auch Anm.
    zu 1,205).
534 In der *Aeneis* zeigen 58 sog. Halbverse den unvollendeten Zu-
    stand des Epos an; in Buch 1 und 2 sind es die Verse
    1,534.560.636; 2,66.233.346.468.614.623.640.720.767.787: Mei-
    stens – wie auch hier – ist der Sinn der Stelle problemlos zu er-
    fassen (s. aber Anm. zu 1,636).
539 Siehe Anm. zu 1,567.
544 *Aeneas ... in seiner Frömmigkeit:* s. Anm. zu 1,8.220.
555 *bester Vater der Teucrer:* Als *pater* wird Aeneas in seiner physi-
    schen Vaterrolle gegenüber Ascanius/Iulus bezeichnet oder an
    Stellen, wo der Akzent auf seine Rolle als verantwortungsvoller
    und fürsorglicher Anführer (König, vgl. etwa 2,2) gelegt ist.
    Der *pater* Aeneas verkörpert darüber hinaus »den Römer«, prä-
    figuriert insbesondere den Stadtgründer Romulus und den
    Princeps Augustus.
565 Dido greift in ihrer Antwort mehrfach Stichwörter aus der
    Rede des Ilioneus auf: *Aeneaden* konkretisiert bedeutsam 1,524
    und ist in Verbindung zu sehen mit Didos Wunsch 1,575; vgl.
    ferner: Aeneas 1,544.576; Acestes 1,550.558.570; Hesperien
    1,530.569. Ähnlich verfährt Vergil in der großen Trostrede Iup-
    piters, s. Anm. zu 1,258.
567 Hier und im folgenden bestätigt Dido den Eindruck, den Ae-
    neas beim Betrachten der Tempelbilder gewann und gegenüber
    Achates äußerte: s. Anm. zu 1,450.462. Die Nähe der *Tyrier-
    stadt* (hier wird wohl zunächst Sidon oder das von dort aus ge-
    gründete Tyrus als Herkunftsort der Punier im Osten gemeint
    sein; Gegensatz dazu die *Stadt Troia* 1,565) zum Sonnenauf-
    gang, dem Ort, wo *Sol seine Pferde schirrt,* umschreibt selbstbe-
    wußt und mit feiner Ironie, daß die Punier ein uraltes Kultur-
    volk sind: Dido antwortet auf die Fragen des Ilioneus 1,539 f.
569 *Hesperien,* das ›Land im Westen‹ (s. Anm. zu 1,205.530), wird
    von Dido mit dem Hinweis auf *die saturnischen Fluren* konkre-

tisiert als das Herrschaftsgebiet des Saturnus, Italien (die *Satur-nia terra* oder *tellus*) und im engeren Sinn Latium, wohin sich Saturnus nach der Vertreibung aus dem Olymp geflüchtet hatte, wo er Herrscher im Goldenen Zeitalter war (8,319–327) und wo dereinst Augustus ein neues Goldenes Zeitalter aufrichten wird (6,791–794).

580 *Vater Aeneas:* s. Anm. zu 1,555.

584 *Einer nur fehlt,* nämlich Orontes (vgl. 1,113–115): Ihm wird Aeneas später in der Unterwelt begegnen bei den unbestatteten Toten, die keine Ruhe finden (vgl. 6,333–336).

588 Das Heraustreten des Aeneas aus der Wolke entspricht Didos Auftritt 1,496 ff.: Wird Dido durch den Vergleich mit Diana, so wird Aeneas durch das Eingreifen seiner Mutter Venus in die Nähe der Götter gerückt. Die Szene hat wieder ein Vorbild bei Homer, wo Od. 23,156–163 Odysseus durch Athene strahlende Schönheit erhält; auch dort schließt sich ein kurzes Gleichnis aus dem Bereich der Kunst an (s. auch Anm. zu 1,450 über die Funktion der Kunst).

597 Dido ist der erste Mensch fremder Herkunft, der Mitleid mit dem Schicksal der Troianer zeigt (vgl. 1,562 ff. Didos Rede, aber auch die Bilder am Iunotempel). Schon diese Worte, mehr aber noch die von Aeneas am Schluß ausgesprochenen Komplimente und Versprechungen sind voll tragischer Ironie: Sie weisen (vgl. besonders die abschließende Formel V. 610) auf Didos und letztlich Karthagos Ende voraus. Die Rede ist Musterbeispiel hoher epischer Rhetorik.

598 Vgl. zum Wortlaut 1,30.

603 Der anaphorische *wenn*-Satz ist im Sinne einer nachdrücklichen Bejahung zu verstehen (vgl. 3,433 f. *si qua est Heleno prudentia vati, si qua fides, animum si veris implet Apollo*; auch Ovid, Met. 6,542 f.).

613 Motiv des Staunens: s. Anm. zu 1,421. – *Sidonierin Dido:* s. Anm. zu 1,446.

617 Die Geburts- und Kindheitsgeschichte des Aeneas erzählt der homerische Aphrodite-Hymnus.

619 *Der Grieche Teucer,* nicht zu verwechseln mit dem Stammvater der Troianer gleichen Namens, ein Sohn des Königs Telamon von Salamis, wurde bei seiner Rückkehr aus dem troianischen Krieg von seinem Vater verbannt, weil er den Selbstmord seines Halbbruders Aias nicht verhindert hatte. Er gründete ein neues

Salamis auf Zypern; daß er dafür die *Hilfe des Belus*, Didos Vater, in Anspruch nahm, lesen wir zuerst bei Vergil.

630 Wie schon in früheren Szenen (s. Anm. zu 1,357.462.567.
588.597) versucht Vergil, auf seiten der Punier und ihrer Königin Mitgefühl und »Schicksalsgemeinschaft« mit den Troianern
aufzuzeigen (zum Wortlaut vgl. speziell 1,198).

636 Halbvers: s. Anm. zu 1,534. Im vorliegenden Fall ist die Deutung schwierig: Eindeutig überliefert ist *laetitiamque dei*, was
als Hinweis auf den Gott Bacchus und den Wein beim Freuden-
fest zu verstehen, aber schwer mit dem Vorhergehenden zusam-
menzubringen wäre. Daher wird schon seit dem 2. Jahrhundert
häufig *dii* gelesen und diese Form als ungewöhnlicher Genetiv
zu *dies* ›Tag‹ erklärt.

661 *Verschlagenheit – Doppelzüngigkeit:* Auch Dido, der Schwester des Pygmalion (vgl. 1,340 ff.), ist nicht zu trauen. Die Begriffe umschreiben die bei den Römern sprichwörtliche ›punische Treue‹ (*Punica fides*), als deren Hauptvertreter in histori-
scher Zeit Hannibal galt, den Horaz *perfidus* nennt (carm.
4,4,49) und dem Livius eine *perfidia plus quam Punica* be-
scheinigt, ›eine selbst punisches Maß übersteigende Perfidie‹
(21,4,9).

665 Iuppiter tötete das mit hundert feuerspeienden Drachenköpfen
ausgestattete Ungeheuer *Typhoeus* mit seinem Blitz, als diese
Ausgeburt der Erdgöttin (Gaia) und des Tartarus gegen ihn
Krieg zu führen begann, um den Tod der halb menschlichen,
halb tierischen Giganten, ebenfalls Abkömmlinge der Gaia, zu
rächen.

672 *Gastfreundschaft Iunos:* vgl. 1,12 ff. Venus fürchtet, daß Iuno
den Aufenthalt der Troianer in Karthago nutzen könnte, um die
Mission des Aeneas, in Italien ein neues Troia zu gründen, erneut zu behindern. Venus hat um so mehr Grund zur Sorge, als
die karthagische *Gastfreundschaft* gerade nicht von der Stadtgöttin Iuno, sondern von Iuppiter verordnet wurde (vgl. 1,297
bis 304 mit Erläuterung).

680 Die der Südspitze der Peloponnes vorgelagerte Insel *Cythera*
hatte einen berühmten Kult der Aphrodite/Venus. Auch auf
dem zyprischen *Berg Idalium* befand sich ein Heiligtum der
Göttin; sie hielt sich dort angeblich besonders gern auf. In der
Nähe des Berges lag die Stadt *Idalia* (vgl. 1,693).

686 *und beim Wein:* im lat. Original *laticemque Lyaeum*, d. h. die

lyaeische Flüssigkeit, der Trank des Lyaeus, also des »Sorgen-
lösers« Bacchus.

693 *Idalia:* s. Anm. zu 1,680.

712 Von hier an häufen sich die auf das Dido-Drama des 4. Buches
vorausweisenden Attribute: vgl. etwa 718 *inscia Dido,* 719 *miserae,* 749 *infelix Dido.*

720 Venus heißt nur an dieser einen Stelle *Mutter Acidalia:* nach
einer Quelle in Böotien, bei der sie mit den Nymphen badete.

724 *bekränzen den Wein:* Gemeint ist ›Weinschale‹ oder ›Weinkrug‹;
vgl. 3,525 f.; eine Vorstellung römischer Dichter, die offensichtlich auf dem falschen Verständnis des Verbs in der homerischen
Wendung ›sie füllten bis zum Rand den Mischkrug mit Trank‹
(vgl. Il. 1,470; Od. 1,148) beruht.

729 An dieser Stelle ist der Begründer der tyrischen Dynastie gemeint, nicht (wie 1,621) Didos Vater.

731 *Iuppiter, der ... das Gastrecht schützt:* Iuppiter wird angerufen
als *Hospitalis* ›Hüter des Gastrechts‹, griech. *Zeus Xenios.*

732 *laß diesen Tag:* Erneut bringt ein Wort Didos die tragische Ironie der epischen Handlung zum Ausdruck (s. Anm. zu 1,597).
Im 4. Buch äußert sich Venus gegenüber Iuno über eine gemein-
same Herrschaft von Tyriern und Troianern (4,105–114): Dort
wird die Wendung *für Tyrier und die Ankömmlinge aus Troia*
wörtlich wiederholt. In *unsere Nachkommen* wird der Gedanke
einer Vereinigung beider Völker antizipiert, der in Didos Fluch
dann für alle Zeiten abgewiesen wird (4,624): »Keine Liebe soll
sein zwischen den Völkern, auch kein Bündnis« (*nullus amor
populis nec foedera sunto*).

734 *Freudenspender Bacchus:* s. Anm. zu 1,636.686.

740 *Iopas in langem Haar:* Der wie ein langgelockter Apollo er-
scheinende Sänger gehört zum Festmahl wie im homerischen
Epos (vgl. Od. 1,325 ff. Phemios; 8,43 ff. Demodokos); er singt
freilich nicht, wie zu erwarten wäre, von Heldentaten (etwa von
Kämpfen des troianischen Krieges und deren Folgen; darüber
wird Aeneas berichten!), sondern – wie Lukrez in seinem Lehr-
gedicht – »von der Natur der Dinge«. Vergils frühere Werke
bieten Vorbilder: Ecl. 6,31 ff. Lied des Silenus; Georg. 2,475 ff.
Hymnus auf das Landleben.

744 *Arcturus* ist der hellste Stern im Bild des Boötes, verbunden mit
der Erwartung von Stürmen. – Die *Hyaden* ›Regenbringerin-
nen‹ sind Töchter des Atlas, Schwestern der Pleiaden. – Für den

Großen und den Kleinen *Bären* steht im lat. Original *Triones*
›Dreschochsen‹.
751 *Sohn der Aurora:* Memnon (vgl. 1,489).
752 Aeneas traf vor Troia in Einzelkämpfen auf *Diomedes* und
Achilles.

2. Buch

Wie bei späteren Büchern der *Aeneis* schafft Vergil zwischen Buch 1
und 2, zwischen der Ankunft des Aeneas in Karthago und seiner Erzählung vom Untergang Troias, einen gleitenden Übergang: Buch 1
endet in einer friedlichen, fröhlichen Gastmahlszene, in die allerdings Hinweise auf Didos tragischen Tod eingeflochten sind; Buch 2
beginnt hingegen mit einer bedrückten Rede des Aeneas (vgl. V. 3
unsäglichen Schmerz, 4 *beklagenswerte Königsherrschaft,* 5 *an äußerstem Unglück,* 7 *Tränen,* 10 *Unglück,* 11 *Todeskampf,* 12 *zurückschrecken, in Trauer fliehen,* usw.). Die gelöste Atmosphäre und
laute Fröhlichkeit weicht dem Schweigen und gespannter Aufmerk-
samkeit (vgl. 2,1).

  2 *Vater Aeneas:* s. Anm. zu 1,555. An dieser Stelle ist Aeneas
    Sprecher der Troianer und – als Didos Gegenüber – die einzige
    verbliebene troianische Herrschergestalt.

  7 *Ulixes:* Odysseus, bei Homer näher bezeichnet durch die Bei-
    wörter »vielgewandt«, »listenreich«, »vielduldend«, »göttlich«,
    erscheint bei Vergil als Inbegriff griechischer Verschlagenheit
    und Grausamkeit, er heißt »grausam« (*durus* ist ständiges römi-
    sches Beiwort für Krieg und Soldaten; vgl. 3,273 *saevus*), »gräß-
    lich« (2,261.762), »ränkevoll« (2,90), »Anstifter aller Verbre-
    chen« (2,164).

 13 *Fatum:* s. Anm. zu 1,2.

 15 Die Griechen bauten das »troianische Pferd« angeblich auf den
    Rat des Troianers Antenor, der eine vermittelnde Rolle zwi-
    schen den Kriegsparteien zu spielen versuchte (s. Anm. zu
    1,242). Als Erbauer gilt Epeos (vgl. 2,264). Das »Lied von dem
    hölzernen Pferd, das Epeios gemacht hat mit Hilfe der
    Athene«, soll der epische Sänger Demodokos auf Wunsch des
    Odysseus singen (Od. 8,492 f.).

 21 Die Insel *Tenedos* liegt unterhalb des Eingangs zum Hellespont,
    von Troia aus also *in Sichtweite.* Ekphrasis-Stil (vgl. etwa 1,12).

23 Die von Aeneas geschilderten Umstände machten es den Troianern leicht, nach zehnjähriger Belagerung an eine Abfahrt der
Griechen zu glauben. Das vermeintliche Ziel *Mykene* wird von
dem griechischen Schurken Sinon später bestätigt (2,180).

31 Die Stadtgöttin *Minerva* wurde von den Römern mit Pallas
Athene gleichgesetzt. Der Mythos schildert sie als jungfräuliche
Lieblingstochter des Iuppiter: Der Vater leiht ihr seinen Blitz
(vgl. 1,42 f.). Auf den Bildern am Iunotempel von Karthago bitten die Troianerinnen um die Hilfe der Göttin (s. Anm. zu
1,479).

32 Die hier beginnende Debatte um das *Pferd* findet in der zum
Vorbild genommenen Szene bei Homer erst statt, *nachdem* das
Pferd auf den Burgberg Troias gezogen worden war (Od.
8,505–511). Od. 8,505 entspricht dabei Aen. 2,39, deren den Auftritt Laocoons vorbereitet. *Thymoetes* hatte Grund zur Rache
an seinem Bruder Priamus: Diesem war prophezeit worden,
Troias Untergang werde durch ein Kind herbeigeführt, das an
einem bestimmten Tag geboren werde. Das Datum paßte auf
den Sohn des Thymoetes, den Priamus daher töten ließ, aber
auch auf den Priamussohn Paris!

41 *Laocoon* ist Sohn des Antenor (s. Anm. zu 2,15) und Priester
des Apollo. In der früheren Tradition des Mythos ist die Rolle
Laocoons deutlich der Rolle der Apollopriesterin Cassandra
untergeordnet. Vergil hat die Rollen umgekehrt: Laocoon tritt
auf als troianischer Prinz, Sprecher einer Gruppe gegenüber der
schwankenden Menge (2,39). Laocoon, dessen Warnung ange-
nommen werden konnte, war für diese Rolle geeignet, nicht
aber Cassandra, deren prophetischen Worten nie jemand Glauben schenkte (vgl. 2,246 f.). Während der verlogenen Rede des
Griechen Sinon (2,77 ff.) bereitet Laocoon zusammen mit seinen beiden Söhnen am Strand ein Opfer für Poseidon vor: Zwei
riesige Schlangen kommen vom Meer und töten erst die Söhne,
dann Laocoon selbst. Die Troianer fassen Laocoons Tod als
Strafe für den Lanzenwurf (2,50 ff.) auf, und damit wird in der
Aeneis ihre Torheit entschuldigt.

44 Laocoon spricht unwissend die Wahrheit aus. Er nennt den Na-
men des »Erzfeindes« Ulixes, weiß aber nicht, daß dieser der
Erfinder des Betrugs ist, und vor allem nicht, daß er selbst im
Bauch des Pferdes sitzt: tragische Ironie.

54 Die Schlußverse der ersten Laocoon-Szene leiten über zur Si-

non-Erzählung (Rückbezug auf 2,4–6.34). In der 2. Hälfte von V. 54 kann man *mens* im Sinne von *nostra mens* verstehen (so unsere Übersetzung) oder parallel zum Versanfang als *mens deorum*, wobei allerdings die gerade am Anfang von Buch 2 betonte Verbindung von göttlichem Wollen und menschlichem Irren unberücksichtigt bleibt. Die Apostrophe der troischen Burg in V. 56 hebt den Schmerz des Aeneas hervor, dessen Akzeptanz der ihm vom Fatum zugewiesenen Aufgabe (s. Anm. zu 1,2.5.297) hier noch ganz vom Verlust der alten Heimat überlagert wird.

57 Die von hier bis 2,249 reichende Erzählung vereinigt zwei aus der Tradition des Mythos (nicht aus Homer) bekannte Geschichten zu einem dramatischen, Troias Untergang einleitenden Geschehen: die »Lügenrede« des Griechen Sinon und den Tod des Laocoon und seiner Söhne, eine rhetorisch perfekt vermittelte Kriegslist und ein als Drama gestaltetes Zeichen der Götter – die Entfaltung von V. 54 (s. dort). Der Ablauf der Ereignisse nach Vergils Darstellung:

(1) Der Grieche Diomedes raubt das Palladium (Bild der Pallas Athene) aus dem Tempel; der Leser erfährt davon erst nachträglich aus der Sinon-Rede (2,163 ff.).

(2) Laocoons Warnung und Lanzenwurf: Grund für die Rache der Göttin, der das hölzerne Pferd angeblich geweiht war (2,40 ff.).

(3) Sinons erste Lüge: Der Raub des Palladiums hat Athene gegen die Griechen aufgebracht (2,162 ff.).

(4) Sinons zweite Lüge: Das hölzerne Pferd soll Athenes Zorn besänftigen; seine Zerstörung bedeutet Troias, das Hereinholen Mykenes Untergang (2,189 ff.).

(5) Athene unterstützt die Kriegslist der Griechen, indem sie die Schlangen schickt, um Laocoons Lanzenwurf zu bestrafen (2,201 ff.).

(6) Die Schlangen ziehen zum Tempel der Göttin, sie verbergen sich an den Füßen des Kultbilds (2,225 ff.).

(7) Die Troianer bringen das Pferd in die Stadt, um Athene zu versöhnen (2,228 ff.).

(8) Nur Cassandra erkennt die Verblendung, warnt aber – wie immer – umsonst (2,246 ff.).

58 *dardanische Hirten:* Sie kamen nach Abfahrt der griechischen
   Schiffe, um die Kampfstätte zu besichtigen (vgl. 2,26 ff.).
65 Nach dem griechischen Sprichwort, etwa: »Kennt man einen,
   kennt man alle.« 2,66 ist einer von 10 sog. Halbversen des
   2. Buches: s. Anm. zu 1,534.
75 Der mit *Mut* wiedergegebene Begriff *fiducia* kann ›Zuversicht‹
   (›Hoffnung‹) und ›Selbstvertrauen‹ (›Mut‹) bedeuten: Sinon soll
   sagen, was er als griechischer Gefangener noch (wie V. 70 f. an-
   gedeutet?) zu seinen Gunsten anführen kann.
77 Die Rede des Sinon ist sorgfältig gebaut. Sie beginnt mit einer
   captatio benevolentiae (vgl. schon 2,69 ff.) und umfaßt drei sich
   steigernde Teile:

   2,77–104   Vorgeschichte, 1. Teil:
               Sinon angebliches Ziel der Mißgunst des Odysseus

   2,108–144   Vorgeschichte, 2. Teil:
               Sinon angebliches Sühneopfer, um die Abfahrt der
               Griechen zu ermöglichen

   2,154–194   Geschichte des hölzernen Pferdes
               (an Anfang und Ende betont feierlich)

79 Erst hier und nur indirekt nennt *Sinon* seinen Namen.
82 *Palamedes*, ein *Nachkomme des* (schon 1,729 genannten) *Belus*,
   war Diener des Agamemnon. Er mußte zusammen mit Menelaos die einstigen Freier Helenas zum Kampf nach Troia rufen;
   denn diese hatten – von Odysseus angestiftet – geschworen,
   Helenas Gatten zu Hilfe zu kommen. Odysseus selbst versuchte, durch vorgetäuschten Wahnsinn dem Krieg fernzublei-
   ben, aber Palamedes entlarvte den Betrug. Um sich zu rächen,
   versteckte Odysseus eine größere Menge Gold im Zelt des Palamedes und fälschte einen Brief im Namen des Priamus, in
   dem Palamedes das Gold für den Verrat des griechischen Lagers
   angeboten wurde. Der Brief wurde gezielt abgefangen, das
   Gold gefunden, Palamedes gesteinigt.
   Sinons Worte sind reich an rhetorischen Elementen, z. B.: 82 f.
   archaisierend (*incluta*); 84 *in*-Alliteration, stark emphatisch; 85
   pathetische Wendungen, Lukrez-Reminiszenz; 87 Sympathie-
   werbung; 91 Versanfang emphatisch, zweite Hälfte pathetisch
   mit Ennius-Lukrez-Reminiszenz; 97 *hinc*-Anapher; 98 f. be-

schreibende Infinitive, *arma* in der Bedeutung von ›alles, was Odysseus für seine Zwecke einsetzen konnte‹; 100 archaisierend (*enim*), wirkungsvolle Aposiopese; 101 f. umgangssprachliche Wendung, den Wechsel der Tonhöhe zum Ende der Rede ausdrückend.

90 *des ränkevollen Ulixes:* s. Anm. zu 2,7.

100 *Calchas* war Seher der Griechen vor Troia, vgl. 2,122.

104 *Ithaker:* Odysseus/Ulixes, benannt nach seinem Wohnsitz Ithaka; vgl. 2,122.128.

106 *Verbrechen und pelasgische Raffiniertheit:* vgl. 2,152 die Einleitung zum dritten Teil des Lügenberichts.

116 Als Agamemnon mit seinen Truppen von Aulis in Böotien nach Troia übersetzen wollte, verhinderte eine Windstille die Ausfahrt der Flotte. Der Seher Calchas erklärte dies als Zeichen des Zorns der von Agamemnon beleidigten Göttin Artemis: Man müsse Agamemnons Tochter Iphigenie aus Mykene herbeiholen und opfern, um die Göttin zu versöhnen. Vergil folgt der Version des Mythos, nach der Iphigenie wirklich von Priestern der Artemis geopfert wurde. Wirkungsvoll wird dazu das angeblich geplante Opfer des Sinon in Parallele gesetzt (vgl. *sanguine . . . sanguine / Argolica,* jeweils am Versanfang), welches das Delphische Orakel verlangte.

132 *die Opferhandlung:* Sinon wurde angeblich wie ein Opfertier zum Opfer vorbereitet. Der *mit Salz vermengte Schrot* (in der Kultsprache: *mola salsa*) wurde zu Beginn der Handlung über das Opfertier gestreut, dessen Stirn mit Binden (*infulae*) umwunden war, von denen wiederum *Bänder* (*vittae*) herabhingen. Vgl. 2,155 f.

151 *Kultgabe – Kriegsgerät:* die beiden möglichen Bedeutungen des hölzernen Pferdes (vgl. schon 2,31–49). Für *religio* empfiehlt sich neben *machina belli* die konkrete Übersetzung ›Kultgabe‹ (statt – wie öfters vorgeschlagen – ›religiöser Zweck, fromme Absicht‹). Auf eine religiöse Bewandtnis des »Geschenks« hatte schon Sinon geschickt angespielt (2,112 ff.): Priamus greift dessen Worte arglos auf.

154 *ihr ewiges Feuer:* die Gestirne (vgl. 2,153 *sidera*), besonders Sonne und Mond.

157 Der Begriff des *fas* »bezeichnet rein negativ die Sphäre, in der sich menschliches Handeln bewegen darf. *Fas est* bedeutet, daß

man etwas tun kann, ohne religiöse Bedenken zu haben, nicht
etwa, daß man es tun *muß*« (K. Latte, *Römische Religionsge-
schichte*, München 1960, S. 38): Sinon legitimiert seinen (angeb-
lichen) Verrat an den Griechen ohne Einschränkung; dabei
nimmt er das Wort des Priamus (2,148) in dem Ausdruck *Graiorum sacrata resolvere iura* präzisierend auf, der auch in dem
Sinn verstanden wird: ›die berechtigten Ansprüche der Griechen (auf Treue und Verschwiegenheit) außer Kraft setzen‹ oder
›die den Griechen gegenüber eingegangene heilige Verpflich-
tung‹.

162 *Unterstützung der Pallas:* Pallas Athene war eine gemeingrie-
chische, also nicht auf Athen oder Attika beschränkte Göttin;
als ihre Hauptfunktion galt der Schutz der Stadt, die Schirm-
herrschaft über alle städtische Kultur (Athena Polias). In dieser Funktion war sie auch in Troia vertreten (s. auch Anm. zu 2,31),
woraus sich im Mythos der Widerspruch ergibt, daß die troi-
sche Stadtgöttin ihre Schutzbefohlenen gleichsam an die Feinde
verrät. Aus konkurrierenden Versionen des Mythos hat Vergil
diese gewählt: Das *Palladium*, ursprünglich vielleicht ein klei-
nes, hölzernes Idol, jedenfalls ein Bild der Pallas Athene, garan-
tierte die Existenz Troias; erst der Raub dieses *schicksalbestim-
menden* Bildes durch Tydeus' Sohn Diomedes ermöglichte die
Eroberung Troias. Es war die Schuld der Troianer, diesen Frevel
nicht verhindert zu haben. Athene rächte sich mit dem Tod des
Laocoon und seiner Söhne und wurde angeblich versöhnt durch
das mit ihrer Hilfe erbaute, ihr geweihte hölzerne Pferd (s. weiter Anm. zu 2,57; vgl. 2,183 f.).

171 *Tritonia:* bei Homer Tritogéneia, ein nach Herkunft und Bedeutung schon in der Antike und bis heute ungeklärter (Bei-)Name
der Athena/Minerva, vgl. 2,226.

172 In ihrem Kultbild manifestiert sich die Gottheit selbst (vgl. bes.
174 f.). Die magische (rituelle) Zahl *drei* findet sich mehrfach in
Vergils *Eklogen* und *Georgica*; in der *Aeneis* vgl. z. B. 1,265 (s.
Anm.); 4,510 f.: dreimalige Anrufung unterirdischer Gottheiten
bei magischen Handlungen; 8,230–232: Kampf des Hercules gegen das Ungeheuer Cacus.

176 Die Verse 176–178 geben in indirekter Rede wieder, was Calchas sagte; V. 179–182a erklären sich am leichtesten als eine Art
Kommentar Sinons zum Spruch des Sehers.

188 *mit der Kraft des einstigen Kultbildes:* d. h., es sollte verhindert
werden, daß das Pferd wie das Palladium kultisch verehrt und
daher Troia denselben Schutz gewähren würde.

189 Die verlogene Prophezeiung des Sinon überzeugt die Troianer
von der religiösen Bedeutung des hölzernen Pferdes. Bewahr-
heitet hat sie sich letztes Endes im siegreichen Krieg der Römer
gegen Griechenland, den Iuppiter bereits seiner Tochter Venus
als Trost offenbarte (vgl. 1,283–285). Für die Annahme, daß
Vergil diese Deutung nahelegen wollte, spricht das in solchen
Zusammenhängen immer bedeutsame Stichwort *Enkel (nepotes)*; vgl. auch 2,702.

199 Die ebenfalls sorgfältig komponierte Erzählung von Laocoons
Tod wirkt wie eine Bildbeschreibung; ihr Mittelteil (2,212–222)
erinnert an die berühmte Laocoongruppe in den Vatikani-
schen Museen: Vergil könnte sie gekannt haben, wahrscheinlicher jedoch ist der Einfluß eines älteren Laocoon-Gemäldes auf Vergils Darstellung. Es korrespondieren miteinander Einleitung
(199–202) und Schluß (228–231); Annäherung der Schlangen
(207–212) und Rückzug (225–227). Verbindungen zwischen
Einzelszenen werden durch die zahlreichen Wendungen herge-
stellt, die Grauen und Erschütterung beschreiben. Besonders zu
beachten: Laocoons Todesschreie werden in einem epischen
Gleichnis (222–224) mit dem Brüllen eines schlecht getroffenen
Opferstieres verglichen: Von einem Stieropfer für Neptun
nimmt das Unheil seinen Ausgang (201 f.).

201 Die Überlieferung teilt mit, daß *Laocoon* (s. Anm. zu 2,41) die
Rolle des eigentlichen *Neptunpriesters* zu übernehmen hatte,
der zu Beginn des Krieges gesteinigt wurde, da er nicht durch
Opfer die Ankunft der Griechen verhindert hatte. Dies spricht
dafür, daß Laocoons Opfer, wofür Vergil keine Begründung
nennt, dem Meergott dargebracht wird zum Dank für die Abfahrt der Griechen oder mit der Bitte, deren Flotte unterwegs
zu vernichten.

203 Das *Schlangenpaar* kommt *von Tenedos her*, wo die griechische
Flotte verschwunden war (vgl. 2,21 ff.). Es bewegt sich *in geordnetem Zug nach Laocoon zu* (man beachte die militärische
Metapher): Ebenso wird sich in der folgenden Nacht die Grie-
chenflotte wieder der Küste nähern (2,254–256).

223 Siehe Anm. zu 2,199.

226 Siehe Anm. zu 2,171. Es ist unklar, wie sich das hier beschrie-

bene Kultbild zu dem von Diomedes geraubten Palladium
verhält, dessen Reaktionen Sinon (2,172–175) geschildert hat
(s. auch Anm. zu 2,162).

228 Siehe Anm. zu 2,41.57.

233 Siehe Anm. zu 1,534.

235 Die Beschreibung der Einholung des hölzernen Pferdes ist von
römischen Kultbräuchen und Vorstellungen des Volksglaubens
beeinflußt (wie die vorhergehende Laocoon-Szene als Prodigium römischer Art gestaltet ist): Einholung von Götterbildern,
Pompa circensis; (falsches) Berühren des Seils, (mehrfaches)
Straucheln auf der Schwelle als unglückliches Vorzeichen.

246 Zur Rolle Cassandras s. Anm. zu 2,41.

250 Der Szenenwechsel wird eingeleitet durch einen aus Ennius-
Zitat (bis *caelum*) und Homer-Übertragung gebildeten Vers.

254 *Streitmacht ... in geordnetem Zug:* s. Anm. zu 2,203.

256 *Feuerzeichen vom Königsschiff:* das mit Sinon verabredete Zei-
chen für den Ausstieg der Griechen aus dem Bauch des Pferdes.
In einer anderen Sagenversion gibt Sinon dem Agamemnon ein
Signal. 6,518 f. heißt es von Helena, sie habe den Griechen von
der Burg aus Zeichen gegeben, offenbar um den mit der Flotte
Gelandeten Orientierung zu geben.

261 *Ulixes:* s. Anm. zu 2,7. – *Epeos:* s. Anm. zu 2,15.

270 *da war mir im Traum:* Zum ersten Mal wird an dieser Stelle
Aeneas selbst Teil seines Berichts (vgl. die erste Andeutung 2,6).
Traumbilder haben bei Vergil grundsätzlich eine die weitere
epische Handlung lenkende Funktion; insbesondere sind
Träume ein Mittel des Dichters, zeitliche Ebenen des Epos (Troias Vergangenheit – Gegenwart der Handlung – Zukunft in Italien) zu verbinden, ohne mit dem Gesetz der epischen Gattung
in Konflikt zu geraten, wonach die Person des epischen Erzäh-
lers (des Dichters) hinter die Handlung seines Gedichts zurück-
treten, die zeitliche Ebene dieser Handlung nicht verlassen werden soll. Die Traumerscheinung *Hectors*, dessen grauenvoller
Tod (s. auch Anm. zu 1,483) den Untergang Troias einleitet,
steht in der *Aeneis* am Anfang einer Reihe von Träumen, Weg-
weisungen, Mahnungen, Prodigien, die Aeneas über seine auf
ein neues Troia in Italien (s. Anm. zu 1,205) gerichtete Mission
aufklären und darauf vorbereiten soll (vgl. 1,1 ff. und Iuppiters
Worte 1,272 ff.). Die nächste (einen Schritt weiter führende) Erscheinung dieser Art wird Aeneas 2,771 ff. zuteil: der Schatten

seiner Gemahlin Creusa. Hectors Worte »mark the first stage in the transformation of Aeneas from a Trojan warrior to an instrument of history« (R. D. Williams): Der Held wird mit einem höheren Auftrag konfrontiert, der zugleich seine Flucht aus Troia motiviert. Aeneas vermag allerdings die in Hectors Worten (2,289–295) sich andeutende Dimension seiner neuen Aufgabe nicht sofort zu fassen: So wird auch deren erster Akt (die unvermeidbare Flucht) vorerst überlagert von der Verantwortung des »Helden« für das »alte«, untergehende Troia, wie der wiederholte »Griff zu den Waffen« zeigt (vgl. etwa 2,314 bis 317.668–678).

296 Nach allgemeiner Vorstellung rettet Aeneas aus Troia die (nicht weiter definierten) ›Heiligtümer‹ (*sacra*) und die (mit diesen möglicherweise identischen) ›Penaten‹ (*penates*), die offenbar als in Tempelgemeinschaft mit *Vesta* existierend gedacht werden: vgl. 2,293. Das im Traumbild von *Hector* aus dem Tempel geschleppte Bild der Vesta und das zum Vestakult gehörende Herdfeuer werden in diesem Zusammenhang auch bei Vergil sonst nicht ausdrücklich erwähnt (allenfalls 5,743–745 und 9,258–260 könnten auf eine Verbindung dieser Art deuten). Hectors Aktion soll offenbar die Weisung von V. 293 f. unterstreichen: Alles ist genannt, was Troias Existenz ausmacht, nachdem das Bild der Pallas (Palladium: s. Anm. zu 2,162) geraubt ist, und das Weiterbestehen Troias (an anderem Ort) garantiert. Die gelegentlich zu dieser Stelle geführte Diskussion über einen bildlosen Vestakult ist irrelevant: Vergil erzählt aus der Perspektive seiner Zeit, und Kultbilder der Vesta sind seit dem 3. Jahrhundert v. Chr. bezeugt.

304 Ein Gleichnis (s. auch Anm. zu 1,148) intensiviert das sich dem Betrachter Aeneas bietende Bild von Troias Zerstörung: Der Untergang im prasselnden Feuermeer wird mit dem vom Wind angefachten Brand im Kornfeld und dem alles niederreißenden Bergstrom verglichen. Darüber hinaus zielt das Gleichnis jedoch auf die Betonung der momentanen Ahnungs- und Hilflosigkeit des Aeneas / des Hirten angesichts der entfesselten Gewalten (1,307; auch 4,68 ff. erscheint Aeneas unter dem Bild des Hirten; hier wie dort liegt jedoch kein eigentliches Aeneas-Gleichnis vor) und bereitet somit die in 1,309 f. formulierte Erkenntnis vor.

310 Dem generellen, im Gleichnis verstärkten Bild läßt Vergil die emotional noch stärker wirkende Individualisierung des Geschehens folgen: Man beachte die Abstufung (*ruinam dedit – ardet – relucent*) in 1,310–312. Die Person des Ucalegon (s. schon Hom. Il. 3,148) vertritt im lat. Original dessen Haus (Metonymie: »es brennt ... Ucalegon«, *ardet / Ucalegon*). In einem »Zitat« unserer Stelle in Juvenals *Satiren* (3,198–202) wird Ucalegon, der Freund des Priamus, zu einem armen Römer, der unter dem Dach eines Mietshauses wohnt und dort dem Feuer ausgesetzt ist. – Die Bucht ist nach dem nahe bei Troia gelegenen Vorgebirge *Sigeum* benannt.

314 Aeneas' Reaktion ist die des homerischen Helden, nicht vergleichbar mit dem besonnenen Handeln des *pius Aeneas* späterer Phasen des epischen Geschehens: Nicht *ratio* bestimmt ihn, sondern *furor* und *ira* (sonst für die gegnerische »Partei«, Iuno und ihre Helfershelfer charakteristisch) und Verlangen nach Kriegsruhm. Die Wende bringt eine Rede der Mutter Venus (2,588 ff.: s. dort), die darauf zielt, an die Stelle affektgesteuerten Verhaltens überlegtes Verantwortungsbewußtsein (*pietas*, s. Anm. zu 1,220) zu setzen.

318 Dem Traum (s. Anm. zu 2,270.296) folgt seine Erfüllung. Die Götter Troias, womit im engeren Sinn die Penaten gemeint sind, heißen hier erstmalig »besiegte« (2,320 *victos*): Der Rede Iunos an Aeolus 1,65 ff. geht Troias Untergang voraus; Iuno kann also sagen, durch die Trojaner würde Ilium nach Italien gebracht samt seinen »besiegten« Penaten (s. Anm. zu 1,68).

335 *im unüberschaubaren Wirrwarr des Kampfes:* Der Ausdruck *caeco Marte*, eigtl. ›im blinden Kampf‹, wird auch im Sinne eines Kämpfens ohne Plan und Erfolgsaussicht, eines ›blindwütigen Getümmels‹, verstanden.

337 Die Kriegsfurie, Personifizierung des Wahnsinns, löst den Kampf aus. An späterer Stelle (2,573) heißt Helena »Geißel (*Erinys*) Troias und der Heimat«.

346 Halbvers: s. Anm. zu 1,534.

350 Nach antiker Vorstellung verließen die Schutzgötter eine dem Untergang preisgegebene Stadt bzw. war eine Stadt verloren, wenn die Schutzgötter sie verlassen hatten, vgl. hierzu schon 2,162 ff. Eine bemerkenswerte Parallele findet sich in den Historien des Tacitus, wo wir anläßlich der Belagerung Jerusalems

im Jahr 70 n. Chr. lesen (5,13,1): »Plötzlich taten sich die Türen des Tempels auf und war der übermenschlich laute Ruf zu vernehmen, die Götter zögen aus (*excedere deos*).« Möglicherweise darf man mit unserer Stelle auch den gut belegten Brauch der *evocatio deorum* verbinden: »Aufforderung der Götter«, eine belagerte Stadt zu verlassen, um religiösen Frevel zu vermeiden. – Der Begriff ›Reich‹, *Imperium*, läßt an Rom denken (*Imperium Romanum*).

353 Logisch wäre die Abfolge ›ins Kampfgewühl stürmen und sterben‹. Das sog. *Hysteron proteron* drückt aus: ›Laßt uns sterben und laßt uns dies tun, indem wir uns in den Kampf stürzen‹.

355 *Wut (furor):* s. Anm. zu 2,314. Das Wolfsgleichnis verstärkt den *furor*-Gedanken. Man beachte, daß der Raubtiervergleich dem Aeneas selbst in den Mund gelegt ist. Wölfe finden sich mehrfach in homerischen Gleichnissen. Das Wolfsgleichnis in erweiterter Gestalt auch 9,51–68 (Wolf – Schafe), dort jedoch bezogen auf das Wüten des Einzelkämpfers Turnus; vgl. noch 9,563 bis 566 (Turnus = Wolf). Für feiges Zurückweichen nach der Bluttat steht der Wolf in 11,806–815 (der Etrusker Arruns hat die Kriegerin Camilla tödlich verwundet und sucht Deckung in der Schar der Mitkämpfer).

370 Im Zentrum des bis 2,385 reichenden Abschnitts steht das erste von zwei Schlangengleichnissen im 2. Buch der *Aeneis*, Umgestaltung eines homerischen Gleichnisses (Il. 3,33–35): Der Grieche Androgeos gerät in panischen Schrecken, als er die List der Troianer bemerkt. Zusammen mit dem zweiten Schlangengleichnis (2,469–475) und dem Schlangenprodigium der Laocoon-Episode (2,199–227) ist das vorliegende Gleichnis eine der »Kernstellen, aus denen die Schlangenmetaphorik« des 2. Buches »sich entwickelt und in die anderen Zusammenhänge vordringt« (Rieks, *Die Gleichnisse Vergils*, S. 1071; nach B.M.W. Knox, »The Serpent and the Flame. The Imagery of the Second Book of the Aeneid«, in: *American Journal of Philology* 71, 1950, S. 379–400); vgl. auch Anm. zu 2,683 f.

385 Das Wirken der *Fortuna* wird hier mit einer günstigen Brise verglichen. Positiv nimmt den Fortunabegriff bzw. -namen gleich im folgenden Coroebus auf (2,387). Wie zweifelhaft das Wirken der Fortuna ist, zeigt die Wendung der Troianerlist gegen diese selbst, 2,410 f. besonders schmerzlich im Gegenüber zu den eigenen Leuten, 413 ff. gegenüber den inzwischen infor-

mierten Griechen. Fortuna als Gottheit oder wirkende Macht –
über Groß- und Kleinschreibung streiten die Fachleute – entspricht der griechischen Tyche, jener an keine Regeln gebunde-
nen Macht des Zufalls: Sie ist eine »irrationale Macht, deren
Einfluß der Mensch hinnehmen und überwinden muß« (Götte,
Vergil. Aeneis, S. 749).

396 Die troianischen Schutzgottheiten haben ihre Heiligtümer verlassen (s. Anm. zu 2,350); folglich kämpfen die – verkleideten –
Troianer nicht unter dem *Schutz ihrer Gottheiten* bzw. unter
dem Schutz von Gottheiten, die nicht ihre eigenen sind.

402 Der momentane Erfolg der Troianer um Aeneas kann nicht von
Dauer sein: Bei den Göttern ist Troias Untergang beschlossen.

403 Siehe Anm. zu 1,39: Frevel des sog. kleinen Aias.

416 Das sog. Wirbelwindgleichnis, zurückgehend auf Hom. Il.
9,4 f., erinnert an die Beschreibung der Stürme 1,82 ff.

425 Gemeint ist die Göttin Athene; sie heißt auch 11,483 *armi-
potens*.

428 Vergil bedient sich eines stoischen Grundsatzes: Bei Schicksals-
schlägen sagt der von Glück und äußeren Gütern unabhängige
Mensch ›die Götter planten es anders‹ bzw. deutlicher ›die Götter wollten es besser‹ (vgl. Seneca, *Epistulae morales* 98,4–5).
Der Gedanke ist bei Vergil stark verkürzt; eigtl. ›man hätte erwarten sollen, daß Rhipeus wegen seiner Gerechtigkeit verschont bliebe; aber die Götter . . .‹. Im Gegensatz zur stoischen
Maxime ist hier der anklagende Ton unüberhörbar: Aeneas
nimmt am Anfang von Buch 3 seinen Bericht mit den Worten
wieder auf (3,1–2): »Nachdem es den himmlischen Mächten ge-
fallen hatte, Asiens Reich und, *obgleich schuldlos*, das Volk des
Priamus zu vernichten . . .«

430 Die *Binde des Apollo* weist Panthus als Priester der Gottheit
aus, vgl. 2,318–321.

431 Auch für Aeneas gilt das *dis aliter visum* (s. Anm. zu 2,428):
Im Traum hatte ihn Hector von seiner Bestimmung unterrichtet
(s. Anm. zu 2,270); die Beteuerung, daß nicht Feigheit ihm das
Leben gerettet habe, zeigt, daß Aeneas die ihm zugedachte
Rolle noch nicht »begriffen« hat (s. auch Anm. zu 2,355).

440 Natürlich steht *Mars* hier metonymisch für den durch ihn ver-
tretenen Bereich, den ›Kampf‹; die Übersetzung sollte jedoch
das epische Bild des tobenden Kriegsgottes nicht beeinträchtigen.

455 *infelix ›unglücklich‹* ist Andromache nach dem Verlust ihres
    Gatten Hector, nicht *solange das Königreich noch bestand*: Ver-
    gil sucht den Kontrast.

468 Halbvers: s. Anm. zu 1,534.

469 *Pyrrhus* ist identisch mit dem schon 2,263 und später mehrfach
    (z. B. 2,500.549) genannten Neoptolemus, Sohn des Achilles.

471 Das zweite Schlangengleichnis im 2. Buch der *Aeneis* (s. Anm.
    zu 2,370) nimmt Vers(teil)e aus Vergils *Georgica* auf (Georg.
    3,414–439). *Von giftigen Gräsern gesättigt* ist Übertragung aus
    Hom. Il. 22,94 und rückt Hektors Kampf gegen Achilleus ins
    Bewußtsein des Lesers. Die gehäutete und somit in jugendlicher
    Frische glänzende Schlange läßt Pyrrhus als den neuen Achilles
    erscheinen, der den Priamussohn Polites vor den Augen des Va-
    ters tötet (2,526 ff.) wie vordem Achilles den Hector. Vgl. auch
    Anm. zu 2,541.

491 Das im Zentrum des Abschnitts 2,491–505 stehende Gleichnis
    charakterisiert das Wüten der Griechen als alles verwüstende
    Flußüberschwemmung. Vergil variiert zahlreiche Elemente
    eines homerischen Gleichnisses auf das Wüten des Griechen
    Diomedes unter den troischen Kämpfern (Il. 5,85–94).

501 Fünfzig Töchter soll Priamus gezeugt haben und fünfzig Söhne,
    deren Frauen hier zusammen mit den Töchtern als *nurus* be-
    zeichnet werden, was im engeren Sinn ›Schwiegertöchter‹ be-
    deutet, doch häufig auch generalisierend ›junge Frauen‹ (bes. in
    Ovids *Metamorphosen*). Von den fünfzig *Brautgemächern*
    spricht schon die *Ilias* (6,244).

502 *mit seinem Blut:* s. 2,550–553.

504 *der Barbaren:* d. h. von Völkern, die nicht der griechisch-troia-
    nischen (später: griechisch-römischen) Mittelmeerwelt angehör-
    ten. Der Originaltext spricht von »barbarischem Gold«, d. h.
    »Gold aus dem Osten«, »orientalisches Gold«. Stärker negativ
    geprägt ist die oft zitierte Parallele 8,685 f., wo Antonius mit
    seiner ›Barbarenstreitmacht‹ dargestellt ist, den Truppen aus
    dem Osten (*ope barbarica*), die in der Schlacht von Actium 31
    v. Chr. gegen Augustus und seine Römer kämpften. Vgl. auch
    1,539.

506 Rhetorisch geschickt schließt Aeneas die Schilderung von dem
    in 2,501 f. nur angedeuteten Tod des Priamus an. Die bis 2,558
    reichende Szene ist in ihrer Dramatik und den sie unterstützen-
    den Bildern tief bewegend.

514 Hier sind offensichtlich die Penaten des königlichen Palastes
gemeint, nicht die der Stadt Troia (s. Anm. zu 1,68 und
2,296.318); im Hintergrund steht die Unterscheidung der römischen »Haus-« und »Staats-«Penaten.

516 Der Vergleich (kein ausgeführtes Gleichnis) parallelisiert Hecuba und ihre verängstigten Töchter mit den verängstigten Tauben; darüber hinaus ist in dem *Unwetter* der Sturm zu sehen,
der Troia auslöscht und vor dem die Frauen Schutz suchen.

526 Siehe Anm. zu 2,471.

536 Der Begriff *Mitgefühl* vermag den Inhalt von lat. *pietas* bei weitem nicht auszudrücken: s. Anm. zu 1,8. Ebenso wie der röm.
Begriff *religio* bezeichnet auch *pietas* eine Beziehung, in der von
beiden Seiten – hier also auch seitens der Götter – verantwortli-
ches Denken und Handeln erwartet werden darf. Die Bedeu-
tungsskala reicht demnach von Gerechtigkeit über Pflichtgefühl, Liebe, Dankbarkeit bis zu Mitleiden und Mitgefühl. Unserer Stelle vergleichbar 4,382: *wenn denn die Gerechtigkeit der
Götter etwas vermag (si quid pia numina possunt)*; vgl. auch
5,688 f.

540 Siehe Anm. zu 1,483. In der *Ilias* (24,468 ff.) wird erzählt, wie
Priamos, von Hermes geleitet, ins Lager der Griechen kommt:
Priamos sucht Achilleus in dessen Zelt auf und wird von diesem
freundlich empfangen. Achilleus erfüllt die Bitte des Königs
und läßt ihm den Leichnam seines Sohnes Hektor übergeben,
der daraufhin in Troia bestattet werden kann.

541 Während Achilles die Rechte (*iura*) des Priamus achtete, der
wie alle *Flehenden* (*supplices*) unter dem Schutz des Zeus stand,
läßt Pyrrhus trotz des Appells diese Haltung vermissen: Er verhöhnt den wehrlosen Greis, schleppt ihn durch das Blut des er-
mordeten Polites und tötet Priamus am Altar, d. h., er setzt sich
über alle moralischen und religiösen Konventionen hinweg.
Pyrrhus ist also, wie er sich selbst nennt, *aus der Art geschlagen*
(*degenerem*, 2,549). »es deutet sich ... hier eine Sicht des
Kriegsgegners an, die auf gewissen von der Anthropologie fest-
gestellten Schuldabwehrmechanismen beruht: Der Feind wird
zum Nicht-Menschen degradiert bzw. stößt sich, wie hier Neoptolemus, selbst aus der menschlichen Gemeinschaft aus« (Glei,
Der Vater der Dinge, S. 138).

554 Der schonungslose Realismus der Tötungsszene weitet sich in
der Conclusio zu einer pathetisch-grotesken Klage. Der ver-

stümmelte Priamusleichnam symbolisiert das seines Hauptes beraubte, dem Erdboden gleichgemachte Troia (vgl. dazu Zintzen, *Laokoonepisode*, S. 66). Der Gedanke von V. 555–559 ähnlich in 2,325–327.

559 In den hier folgenden wenigen Versen bis 2,566 leitet die epische Erzählung vom Mittelteil des 2. Buches (Zerstörung Troias, Tod des Priamus) über zum Schlußteil, der das Schicksal des Aeneas und seiner Familie behandelt.

567 Die hier beginnende, bis 2,588 reichende Helena-Szene wird seit der Antike kontrovers beurteilt. Offenbar wurden diese Verse, deren Inhalt bis in jüngste Vergangenheit als anstößig empfunden wird, bereits von den *Aeneis*-Herausgebern Varius und Tucca getilgt; sie werden nur von wenigen Handschriften überliefert. Zweifellos entsprechen sie einem ursprünglichen Plan des Dichters; wir können nur vermuten, daß er die Szene in einer Schlußredaktion verändert, gestrichen oder ersetzt hätte. Dieser Befund entbindet uns jedoch nicht davon, die Verse in ihrem jetzigen Kontext zu interpretieren. Alle mit dem umstrittenen Abschnitt verbundenen philologischen Fragen erörterte zuletzt Th. Berres, *Vergil und die Helenaszene* (Heidelberg 1992); die Argumente für und gegen die Echtheit hat Büchner, *P. Vergilius Maro*, S. 331–334 sorgfältig zusammengestellt.

Für die Tilgung treten (zuletzt im Anschluß an K. Büchner) vor allem die Interpreten ein, die in Aeneas von Anfang der Handlung an den sehen, der in all seinem Denken, Reden und Handeln *pietas* realisiert (s. Anm. zu 1,8.220; 2,536), oder – wie zuletzt von R. Glei formuliert (*Der Vater der Dinge*, S. 139) – betonen, daß es dem Dichter »darauf ankommen (mußte), den Charakter des Aeneas auch in der Extremsituation der Iliupersis als möglichst untadelig darzustellen«. Aeneas ist jedoch keineswegs von Anfang an und immer der untadelige, beherrschte Held (s. Anm. zu 2,314.355): Zorn, Wut, ja der Gedanke an Rache sind ihm bis zum Ende der epischen Handlung nicht fremd. In dem seit einiger Zeit wieder heftig diskutierten Schluß der *Aeneis* wird Aeneas unmittelbar vor der Tötung des Turnus *wutentbrannt und schrecklich im Zorn* (12,946 f. *furiis accensus et ira terribilis*) genannt. Der Rachewunsch gegenüber Helena, die Anlaß für alles Leid ist – *Geißel für beide, für Troia und die* (griechische) *Heimat* (2,573), ist sowohl von daher als auch un-

ter dem Aspekt der fortschreitenden Erfahrung des Aeneas in
Buch 2 durchaus verständlich: von der offenbar nicht hinreichend verstandenen Mahnung Hectors (s. Anm. zu 2,270) über
den wiederholten und doch aussichtslosen Griff zu den Waffen
(s. Anm. zu 2,314) und die Bereitschaft zum Sterben (2,353 f.,
vgl. schon 317) bis zu der vom grauenhaften Tod des Priamus
mitveranlaßten Besinnung auf die Verantwortung für die eigene
Familie. Gerade aus der Sicht dessen, was von einem Helden erwartet wurde, muß nach dieser Entwicklung ein Racheakt des
Aeneas als – auch von Vergil wenigstens gedachte – Möglichkeit
erscheinen.

Das Argument, daß die Helena-Szene die Hinwendung zur Familie störe, ist nicht stichhaltig; denn noch angesichts von Vater,
Gattin und Sohn will sich Aeneas erneut in den sinnlosen
Kampf stürzen (2,668 ff.). In der uns vorliegenden Fassung der
Aeneis werden *furor* und *ira* – ausgelöst vom Bild der am Altar
der troianischen Stadtgöttin sich verbergenden Helena – durch
die Erscheinung der göttlichen Mutter Venus neutralisiert und
in »vernünftige« Bahnen gelenkt; das erneute Auflodern der
Affekte überwindet die Gattin Creusa (2,673–678) und das unmittelbar nach deren Intervention eintretende Flammenprodi-
gium (2,679–704), das – mit Iuppiters Hilfe – endgültig die
Weichen zu einer nicht mehr als unheldisch empfundenen
Flucht stellt.

589 Syntaktisch bereitet der Anschluß von 2,589 an 566 keine
Schwierigkeiten: Venus erscheint ihrem Sohn Aeneas – im Gegensatz zu 1,314–417 (s. dort) – in ihrer vollen Göttlichkeit
(vgl. die Begriffe des Sehens, des Lichtes) und wird dementsprechend in ihrer göttlichen Qualität und Quantität beschrieben
(2,591 f. *qualis . . . et quanta*).

593 Schwieriger ist die inhaltliche Verbindung von 2,594 (Rede der
Venus) zu den überleitenden Versen 2,559 ff.; denn dort erscheint Aeneas bereits vereinsamt, Schrecken und Erstaunen
kennzeichnen ihn, er denkt an die Familie: Die Frage der Mutter Venus nach dem Grund seines Zornes und Wütens wird
sinnlos ohne die Helena-Szene oder einen vergleichbaren
Ersatz; andererseits wird die Frage der Göttin nach der Sorge
des Helden um die Familie und die Aufzählung der Mitglieder
Anchises, Creusa, Ascanius sinnlos, wenn nicht die Erinnerung
und Einsicht des Aeneas, die in den Überleitungsversen formu-

liert sind, durch einen neuen Anfall von Zorn und Wut gestört
wurden.

595 *Sorge um uns:* s. Anm. zu 1,229.

601 Es klingt wie eine Antwort auf die Begegnung des Aeneas mit
Helena, wenn Venus zunächst Helena und Paris in einem
Atemzug nennt, um noch im selben Satz die *Unnachsichtigkeit
der Götter* (mit der anaphorischen Betonung *divom . . ., divom*)
für Troias Untergang verantwortlich zu machen.

612 *das scäische* ist Troias berühmtestes *Tor*; Iuno, Hauptfeindin der
Troianer (s. Anm. zu 1,27.28), wird (wie oft) mit dem Beiwort
saevus charakterisiert (s. Anm. zu 1,4) und erscheint als göttliche Verkörperung des *furor* (*impius*). – Halbvers 2,614: s. Anm.
zu 1,534.

615 *Tritonia Pallas:* s. Anm. zu 2,171. *Pallas* Athene war früher
Stadt- bzw. Schutzgottheit Troias, s. Anm. zu 2,162. Als Perseus
die *Gorgo* Medusa getötet hatte, brachte er ihr Haupt zu
Athene; diese fügte es ihrem Brustpanzer ein, der damit magische Wirkung erhielt.

619 Nachdrückliche Wiederholung der Aufforderung zur Flucht
(zuerst durch Hector, s. 2,289): jetzt aus göttlichem Mund und
verbunden mit einer Schutzgarantie, die wohl (trotz 2,632) über
das sichere Geleit zum eigenen Haus hinausreicht bis zum Ziel
der Mission des Aeneas, Italien, dem Land der Vorfahren
(s. Anm. zu 2,801 und Stammbaum S. 182).

622 Die von Venus angeführte *Unnachsichtigkeit der Götter* (2,602
divom inclementia) manifestiert sich im Schreckbild der *Troia
feindlichen Götter*: Aeneas begreift endgültig (s. 2,624 ff.), daß
Troias Schicksal besiegelt ist (vgl. schon 2,290.324 ff.363.554 ff.).
Von Affekten befreit, ist er entschlossen, den göttlichen Befehl
zu befolgen (ein letztes Widerstreben, durch die Weigerung des
Vaters Anchises ausgelöst, sich den Fliehenden anzuschließen:
2,668 ff.). Der abschließende Halbvers (s. Anm. zu 1,534) verleiht dem Bild besonderen Nachdruck.

624 Der auch von Aeneas nicht mehr aufzuhaltende Sturz Troias
(vgl. Hectors Worte 2,290 *ruit alta a culmine Troia*) wird mit
dem Sturz der gefällten Bergesche verglichen (2,631 *traxitque
iugis avolsa ruinam*): Hohes Alter, Stärke und hinhaltender Widerstand sind die Vergleichspunkte des Gleichnisses.

634 Anchises vermittelt bei seinem ersten Auftreten in der *Aeneis*
den Eindruck eines schwachen älteren Mannes. Er weigert sich,

mit Aeneas, Creusa und Ascanius die Stadt zu verlassen; erst
göttliches Eingreifen läßt ihn umdenken (s. 2,679 ff.). Während
der Flucht (Buch 3) zeigt sich Anchises als umsichtiger Begleiter und Berater des Aeneas. Zum jetzigen Zeitpunkt weiß er
noch nichts von dem weitreichenden Auftrag seines Sohnes, und
Aeneas hat offenbar noch nicht verinnerlicht, daß dessen Erfüllung sein eigenes Überleben erfordert (vgl. die Rede 2,657–670).

644 *sagt mir den letzten Gruß:* Gemeint ist das (dreimalige) »Lebe
wohl« (*vale*), das dem Verstorbenen nach der Bestattung (vgl.
positum ... corpus) nachgerufen wurde. Anchises beschwört le-
bensmüde seinen Tod.

648 *Vater der Götter:* s. Anm. zu 1,65. – Der Mythos erzählt, daß
Anchises (betrunken) seine Liebesbeziehung zu Venus ausplau-
derte; deren Vater Iuppiter wollte ihn mit dem Blitz töten, doch
Venus lenkte den Blitz ab, und Anchises wurde gelähmt. Alter,
Gesundheitszustand, Vitalität des Anchises sind in den zahlrei-
chen Versionen des Mythos verschieden dargestellt.

657 Die Weigerung des *Vaters* Anchises stürzt den Sohn in tiefe
Ratlosigkeit, in Verzweiflung, die in ihm die gebotene *pietas*
gegenüber dem Vater und der (göttlichen) Mutter erschüttert
(s. Anm. zu 1,8.220) und ihn zugleich in eine eben erst über-
wundene Reaktion aus dem Affekt zurückfallen läßt.

671 Als sich Aeneas erneut in den aussichtslosen Kampf stürzen
will, erinnert ihn Creusa beschwörend an seine Verantwortung
für Haus und Familie. Creusa löst damit die durch himmlische
Zeichen schließlich auch für Anchises zwingend gebotene
Flucht aus dem brennenden Troia aus, an deren Ende (2,776 ff.)
sie als Werkzeug des Fatums Aeneas den Weg ins verheißene
Land weist.

680 Zunächst tritt das sog. Flammenprodigium ein, züngelnde
Flammen um das Haupt des *Iulus*, ein Zeichen, das von Anchises sogleich positiv gedeutet wird. B. Knox hat im Rahmen der
Schlangenmetaphorik im 2. Buch der *Aeneis* die Flamme als
Zeichen für Troias Wiedergeburt gedeutet (s. Anm. zu 2,471):
Das zweifellos glückverheißende, in eine friedliche Zukunft
weisende *Prodigium* wäre somit Kontrastbild zum Gleichnis
von der Häutung der Schlange, das dem Auftreten des »neuen
Achilles« und damit der Wiederkehr des Krieges und der Ver-
nichtung gilt. Das Flammenprodigium kehrt in der *Aeneis*
zweimal in Entscheidungssituationen als positives Zeichen wie-

der: 10,270–273 an der Person des Aeneas vor dem Endkampf
in Latium, 8,680 f. an der des Augustus, den der Schild des Aeneas beim Auszug zum Entscheidungskampf gegen Antonius
und Kleopatra zeigt. Vgl. dazu B. Grassmann-Fischer, *Die Prodigien in Vergils Aeneis*, München 1960, S. 9–28; Binder, *Aeneas
und Augustus*, S. 226–228.

689 Anchises bittet Iuppiter um ein weiteres Zeichen, das die posi-
tive Deutung des ersten als richtig erweist. In 2,691 ist *auxilium*
(deine Hilfe) überliefert; die von vielen Ausgaben aufgenom-
mene Lesung *augurium* (ein *Zeichen*) findet sich nur im sog. Ps.
Probus-Kommentar zu Vergil, Ekl. 6,31, sicher beeinflußt von
Aen. 2,703 und 3,89 (*da, pater, augurium*).

692 Das erbetene Zeichen trifft unmittelbar nach dem Gebet des
Anchises ein: *Donner* von links, bei den Römern ein günstiges
Zeichen ebenso wie die Sternschnuppe. In der religiösen Spra-
che der Römer heißt das auf die menschliche Bitte antwortende
Zeichen *augurium impetrativum*, das zunächst von den Göttern
gesandte Zeichen *augurium oblativum*. Insgesamt stellt das
Flammenprodigium zusammen mit dem Donner- und Sternzei-
chen ein von Vergil neu konstruiertes Aition für das römische
Auguralwesen dar (s. Anm. zu 1,276), das zeigen soll, daß
Aeneas' Verlassen des alten Troia ein religiös abgesicherter Akt
war. Vgl. dazu Binder, *Aitiologische Erzählung*, S. 270–272.

707 Die Anweisungen des Aeneas für den Auszug aus Troia haben
seit den antiken Kommentaren Anstoß erregt: Warum mutete
Vergil seinem Helden die Peinlichkeit zu, die Gattin *in einiger
Entfernung* hinter der Gruppe Aeneas-Anchises-Ascanius folgen zu lassen? Bis in jüngere Literatur werden rührende Ehren-
rettungen für Aeneas versucht, der ja offensichtlich damit das
Verlorengehen Creusas verursacht. Troias Weiterleben ist nach
den Bestimmungen des Fatums an die genannte Männergruppe
gebunden: Creusa hat als Gemahlin des Aeneas für ein neues
Troia keine Funktion mehr; sie wird das Sklavinnenschicksal
anderer Troianerinnen nicht teilen müssen, sondern in der Umgebung der einheimischen Göttin Kybele göttliche Ehren ge-
nießen (vgl. 2,785–789). Im übrigen bereiten die Verse 707–711
das berühmte, 717.721–724 in Verse gefaßte Bild der »Aeneas-
gruppe« vor, das den Lesern Vergils in zahlreichen Versionen
der bildenden Kunst bekannt war.

713 In der Angabe des Treffpunkts ist die Bedeutung von *templum-que vetustum desertae Cereris* umstritten: Man kann sich einen verödeten, in Vergessenheit geratenen Cerestempel darunter vorstellen, ein altes Gemäuer, bei dem die Feinde keine Truppe zur Flucht entschlossener Troianer vermuten würden (vgl. 2,742 f.). Die *Zypresse* findet sich in der Umgebung vieler Heiligtümer; sie genießt in einer durchweg göttlich beseelten Natur *kultische Verehrung (religio)* wie andere Bäume, wie Flüsse, Quellen usw.

717 Vgl. 2,293 (s. Anm. zu 2,296). Tötung jeglicher Art macht nach antiker Vorstellung – unabhängig vom Schuldgedanken – kultisch unrein. Für die vor dem Opfer oder wie hier vor dem *Berühren* von Götterbildern bzw. kultischem Gerät erforderliche Reinigung verwendete man am häufigsten *fließendes Wasser* (technischer Ausdruck hierfür ist *fons vivus, fons perennis*, auch *flumen vivum* u. a.). – Halbvers 2,720: s. Anm. zu 1,534.

735 Die schon 2,725 ff. beschriebene Sorge und Angst des Aeneas steigert sich zur Panik. Vielleicht ist die folgende Aufzählung möglicher Ursachen für Creusas Verschwinden in der Erinnerung an das damalige Entsetzen begründet. Eigentlich müßte Aeneas wissen, daß das Fatum eingegriffen hat (s. Anm. zu 2,707): Die entrückte *Creusa* selbst hatte es ihm gesagt, vgl. 2,777 f.785–789.

760 Das Heiligtum der Iuno ist wohl als Gebäude innerhalb der Palastanlage gedacht, nicht als Tempel auf der *arx* (vgl. die Übersetzung von V. 760). Das *asylum* (eigtl. das ›Ungeplünderte‹, ›Unberaubte‹ und ›Unberaubbare‹) ist absolut unverletzliche *Zufluchtsstätte* für Schutzsuchende. Nun heißen seine *Wächter* ironisch *Phönix* und *Ulixes* (s. Anm. zu 2,7), und sie wachen über geraubtem Gut, darunter auch Beute aus Heiligtümern. Immerhin konnte Aeneas kostbares Hab und Gut auf die Flucht mitnehmen: Davon wird hier nicht berichtet, vgl. aber 1,647–655. – Halbvers 2,767: s. Anm. zu 1,534.

768 In Trauer und Verzweiflung ruft Aeneas den Namen der verschwundenen Gattin durch die inzwischen verödeten Straßen Troias: Wieder übermannen ihn die Affekte (er *stürmt*, rast, tobt wie ein Besessener durch die Stadt; Creusa bezeichnet seinen Schmerz als *wahnsinnig*: 2,771.776). Creusa erscheint ihm in der Wesenlosigkeit einer Toten: als Schattenbild (*simulacrum,*

umbra, imago), und er reagiert, wie Menschen auf jenseitige Erscheinungen zu reagieren pflegen (V. 774).

775 Eine Formel leitet die *Rede Creusas* ein; sie findet sich wieder 3,153 zur Einleitung einer Weisung, die Aeneas auf Geheiß des Apollo durch die Penaten übermittelt wird, und 8,35 zur Einleitung der richtungsweisenden Traumerscheinung des Flußgottes Tiberinus (vgl. dazu Binder, *Aeneas und Augustus*, S. 16–28).

776 Creusa beginnt und beendet ihre Rede mit Mahnungen, denen aber durch das Zeugnis unveränderter Liebe jegliche Schärfe genommen ist: 1. Aeneas muß begreifen, daß er sich dem Fatum zu fügen hat, seinen Affekten keinen Raum mehr geben darf; 2. Aeneas ist verantwortlich für den *gemeinsamen Sohn* Ascanius-Iulus (und damit für die Existenz eines neuen Troia).

Mit dem Hinweis darauf, daß ein *höheres Gesetz* bzw. Iuppiter Creusa daran hindern, ihren Gatten in eine neue Zukunft zu begleiten, korrespondiert die tröstliche Äußerung, daß Creusa in der Umgebung der *Großen Mutter* vom Berg Ida (s. Anm. zu 2,707) eine offenbar den Göttern ähnliche Existenz führen wird (2,778 f. 785–788).

Die Mitte der Rede ist durch die Verheißung bestimmt, die – bereits wesentlich konkreter – die Weisung Hectors und die Mahnung der Venus aufnimmt, allerdings auch erstmalig auf die Not der Irrfahrten hinweist (s. Anm. zu 2,270 und 619): *Hesperien* wird als Ziel der Fahrt genannt (s. Anm. zu 1,530 und 569), näher bestimmt durch den *lydischen Thybris*, d. h. den Tiber, der im Gebiet der Etrusker entspringt, die angeblich von den kleinasiatischen Lydern abstammten.

Der Verlust Creusas (2,778 f.) wird ausgeglichen durch die – unter dem Aspekt der Gründung eines neuen Troia und dessen machtvoller Zukunft entscheidende – Heirat der Königstochter Lavinia (783 f.).

Vers 2,787 ist unvollständig: s. Anm. zu 1,534.

792 Diese Verse sind nach Hom. Od. 11,206 f. gestaltet, wo Odysseus dreimal vergeblich versucht, in der Unterwelt das Schattenbild seiner Mutter zu umarmen. Vergil wiederholt sie wörtlich 6,700–702: Aeneas gelingt es nicht, das Bild seines Vaters Anchises im Schattenreich zu umarmen. Im Purgatorio der *Göttlichen Komödie* schließlich scheitert Dante beim Versuch, einen der Schatten zu umarmen (II,76 ff., eine *Aeneis*-Reminiszenz):

»O eitle Schatten, nur dem Blick bewußt! Dreimal versucht ich,
diesen zu umfangen: Dreimal zog ich die Arme bis zur Brust!«

801 Epische Beschreibung des Morgens. Lucifer, *der Morgenstern*,
ist der Planet Venus, das Gestirn der göttlichen Mutter des Aeneas: Venus wacht gleichsam über dem Auszug der Troianer.
Nach einer römischen Sagenversion soll Aeneas vom ersten Tag
der Irrfahrten an den Stern Venus gesehen haben, bis er ins verheißene Land Latium kam, wo das neue Troia (Rom) entstehen
sollte.

Dardaner- und Iulier-Genealogie

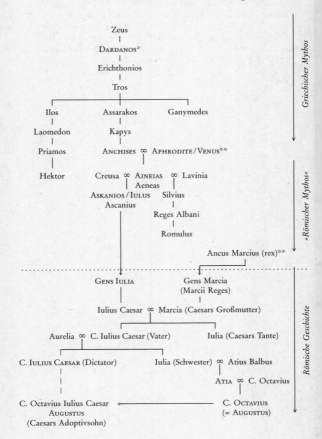

Zeus
|
DARDANOS*
|
Erichthonios
|
Tros

Ilos — Assarakos — Ganymedes
|
Laomedon — Kapys
|
Priamos — ANCHISES ∞ APHRODITE/VENUS**
|
Hektor — Creusa ∞ AINEIAS ∞ Lavinia
Aeneas
ASKANIOS/IULUS — Silvius
Ascanius
Reges Albani
Romulus

Ancus Marcius (rex)**

GENS IULIA — Gens Marcia
(Marcii Reges)

Iulius Caesar ∞ Marcia (Caesars Großmutter)

Aurelia ∞ C. Iulius Caesar (Vater) — Iulia (Caesars Tante)

C. IULIUS CAESAR (Dictator) — Iulia (Schwester) ∞ Atius Balbus

ATIA ∞ C. Octavius

C. Octavius Iulius Caesar ← C. OCTAVIUS
AUGUSTUS (= AUGUSTUS)
(Caesars Adoptivsohn)

Griechischer Mythos

»Römischer Mythos«

Römische Geschichte

* DARDANOS (Dardanus)
  Ahnherr der Dardaniden/Dardaner (später: Troianer),
    war Autochthon der Landschaft Troas
    oder aus Samothrake (Kreta, Arkadien) dort eingewandert
    oder aus Italien (Latium, Etrurien) zugewandert:
  Der letzteren (jungen) Version (Mythenkonstruktion) bedient sich Vergil für die
  epische Handlung der *Aeneis*: Sie ermöglicht die für den Erfolg der »Mission« des
  Aeneas grundlegende Vorstellung von einer Rückkehr der Troianer (Dardaner)
  nach Italien, der Urheimat der Aeneaden (vgl. bes. Aen. 7,239 ff.; 8,36 ff.).

** APHRODITE/VENUS und **Ancus Marcius
  C. Iulius Caesar (Dictator) betonte im Jahr 69 v. Chr. in der öffentlichen Toten-
  rede auf seine Tante Iulia (s. Stammbaum) die Abstammung der Iulier-Familie
  von den Göttern und den altrömischen Königen (Sueton, *Divus Iulius* 6,1):
  »Meine Tante Iulia stammt mütterlicherseits von Königen, von Vatersseite ist sie
  mit den unsterblichen Göttern selbst verwandt. Denn die Marcii Reges, deren
  Namen ihre Mutter führte, leiten ihr Geschlecht von Ancus Marcius her (d. h.
  vom 4. König Roms), von Venus aber die Iulier, und zu ihnen gehört unsere Familie. In unserem Geschlecht ist also die erhabene Majestät der Könige, die unter
  den Menschen die meiste Macht besitzen, vereint mit der Heiligkeit der Götter,
  denen selbst die Könige untertan sind.«

Verzeichnis der Eigennamen

Das Verzeichnis bietet die Erklärung wichtiger Eigennamen auf der Grundlage des Originaltextes. Mehrfach wird auf Erläuterungen in den Anmerkungen zurückverwiesen. Häufig vorkommende bekannte Namen sind nicht aufgenommen.

ACESTES: Der sizilische König A. – »berühmt aus troianischem Blut« (1,550) – war Gastgeber des Aeneas während der beiden Aufenthalte auf Trinacria (Sizilien). Sein Herrschaftssitz war Drepanum im Westen der Insel. Die beim zweiten Sizilienaufenthalt auf der Insel zurückbleibenden Troianer nannten nach A. ihre Siedlung Acesta (Segesta); vgl. 5,709–718.

ACHAIA: Griechenland, davon ACHAICUS = griechisch.

ACHATES: Troianer, ständiger Begleiter des Aeneas und als solcher oft mit dem Beiwort *fidus* (›treu‹) ausgezeichnet; s. auch Anm. zu 1,120.

ACHILLES: Sohn des Peleus (Pelides) und der Thetis, berühmtester Kämpfer der Griechen vor Troia.

ACHIVI: Griechen.

ACIDALIA MATER: Venus, s. Anm. zu 1,720.

AEACIDES: Nachkomme des Aeacus (Aiakos), Name für Achilles und dessen Sohn Pyrrhus/Neoptolemus sowie für Perseus, den letzten Makedonenkönig (vgl. 6,839).

AENEADAE: die Familie, die Nachkommen des Aeneas; die Gefährten, die Mannschaft des Aeneas; die Römer.

AEOLUS: König der Winde, s. Anm. zu 1,52.

AGENOR: König von Tyrus, s. Anm. zu 1,338.

AIAX: Sohn des Oileus, der sog. kleine Aias, s. Anm. zu 1,39.

ALBA LONGA: Stadt in Latium, s. Anm. zu 1,270; dazu ALBANUS: albanisch bzw. aus, von Alba (vgl. 1,7).

AMAZONIS (Plural: AMAZONIDES): die Amazone(n); sie kämpften unter Führung Penthesileas vor Troia gegen die Griechen.

AMOR: Sohn der Venus, vgl. CUPIDO.

ANCHISES: Vater des Aeneas, s. Stammbaum S. 182.

ANDROGEOS: ein Grieche, 2,370–395.

ANDROMACHE: Hectors Frau, nach Troias Untergang zunächst Sklavin des Achillessohnes Pyrrhus/Neoptolemus, dann Gattin des Priamussohnes Helenus.

ANTENOR: bedeutender Troianer, s. Anm. zu 1,242.

ANTHEUS: ein Troianer im Gefolge des Aeneas.

ARGI: Argos ist Hauptstadt der Landschaft Argolis im Norden der Peloponnes, bevorzugte Stadt der Göttin Iuno; dazu ARGIVI: Griechen; ARGIVUS: griechisch; ARGOLICUS: griechisch.

ASCANIUS: Sohn des Aeneas und der Creusa, Enkel des Anchises und der Venus, in der römischen Tradition heißt er Iulus; s. Anm. zu 1,257 und Stammbaum S. 182.

ASIA: das heutige Kleinasien, bezeichnet das Reich des Priamus, markiert den Gegensatz zu Europa (vgl. 1,385).

ASTYANAX: Troianer, der Sohn Andromaches und Hectors.

ATLAS: Der Sohn des Iapetus und der Klymene wurde von Perseus mit Hilfe des Medusenhauptes in das Atlasgebirge verwandelt; er trägt auf seiner Schulter das Himmelsgewölbe.

ATRIDES: Bezeichnung für Menelaos bzw. Agamemnon, die Söhne des Atreus. Menelaos, Gemahl der Helena, war König in Sparta; Agamemnon herrschte in Mykene.

AURORA: Göttin der Morgenröte, Mutter des Äthiopierkönigs Memnon.

BELUS: Der 1,729 genannte B. ist Begründer der tyrischen (phönikischen) Dynastie; dazu BELIDES, der Nachkomme des B., womit 2,82 der Grieche Palamedes gemeint ist. Ein jüngerer B. wird 1,621 als Vater der Dido genannt.

BYRSA: Name der karthagischen Burg, s. Anm. zu 1,367.

CAESAR: Augustus.

CALCHAS: Seher der Griechen während der Kämpfe vor Troia.

CAPYS: Troianer, ein Begleiter des Aeneas, der später als Gründer der Stadt Capua bezeichnet wurde (vgl. 10,145).

CASSANDRA: Tochter der Hecuba und des Priamus. Da sie Apollos Liebe nicht erwiderte, wurde sie zwar mit der Gabe der Prophetie beschenkt, aber zugleich damit bestraft, daß ihren Weissagungen niemand glauben wollte; s. auch Anm. zu 2,41.

CERES: Göttin des Korns (daher oft metonymisch für »Brot«) und des Wachstums; mit Demeter gleichgesetzt.

CLOANTHUS: Troianer, ein Begleiter des Aeneas; eine römische Aitiologie macht ihn zum troianischen Ahnherrn der römischen Gens Cluentia.

COROEBUS: Sohn des phrygischen Königs Mygdon. Priamus hatte Mygdon gegen die Amazonen unterstützt; zum Dank schickte dieser seinen Sohn in den Kampf um Troia. C. sollte Cassandra heiraten.

CREUSA: Tochter des Priamus, Frau des Aeneas, Mutter des Ascanius; s. auch Anm. zu 2,567.593.671.707.776–788.

CUPIDO: Anderer Name für Amor, den Sohn der Venus und Halbbruder des Aeneas.

CYMOTHÖE: Meeresnymphe, eine der fünfzig Töchter des Nereus. Der Name bedeutet ›die Wogenschnelle‹.

CYNTHUS: Berg auf Delos, wo Apollo und Diana geboren wurden (s. 1,498).

CYTHERA: eine der Südspitze der Peloponnes vorgelagerte Insel mit einem bedeutenden Venuskult. Der Mythos berichtet, daß Venus hier als die »Schaumgeborene« aus dem Wasser stieg; dazu CYTHEREA als (Bei-)Name der Venus.

DANAI: Danaer heißen die Griechen dem Mythos zufolge nach Danaus (Sohn des Ägypters Belus), der sein Land verlassen mußte, nach Griechenland kam und dort Argos gründete.

DARDANUS: Stammvater des troianischen Königshauses, vgl. Stammbaum S. 182. Dazu diverse Ableitungen: DARDANIA: Troia oder Reich der Troianer; DARDANIDES: der Nachkomme des Dardanus, also Aeneas oder der Troianer oder der Begleiter des Aeneas; DARDANIS heißt Creusa, die Frau des Aeneas und Tochter des Priamus; DARDANIUS ist geläufige Bezeichnung für Aeneas, gelegentlich für Anchises; DARDANIUS und DARDANUS (als Adj.): troianisch.

DEIPHOBUS: Troianer, Sohn des Priamus.

DIANA: Tochter des Iuppiter und der Latona, Schwester des Apollo, häufig auch Trivia (Göttin der Dreiwege) genannt und mit der Unterweltgöttin Hekate identifiziert; s. auch Anm. zu 1,497.

DIDO: Tochter des Belus, Gründerin und Königin Karthagos.

DIOMEDES: Herrscher von Argos und Freund des Odysseus/Ulixes, kehrte von Troia nach Argos zurück, mußte aber wegen Thronstreitigkeiten seine Stadt wieder verlassen und übersiedelte nach Apulien. In Vergils *Aeneis* wandelt sich der leidenschaftliche griechische Kämpfer zum Typ des milden, abgeklärten Fürsten; er rät den Feinden des Aeneas während der Kämpfe in Latium zu Frieden und Versöhnung.

DOLOPES: ein mächtiger Stamm in Thessalien.

DORICUS: griechisch.

EPEOS: s. Anm. zu 2,15.

ERINYS: Furie, auch Kriegsdämon; 2,573 Bezeichnung für Helena.

ERYX: Der Berg E. im Westen Siziliens, unweit von Drepanum, dem Wohnsitz des Acestes, ist benannt nach einem Sohn der Venus:

E. hatte dort ein berühmtes Heiligtum für seine Mutter gestiftet. Aeneas läßt später seinem Halbbruder E. kultische Ehren zuteil werden.

FIDES: s. Anm. zu 1,292.

FORTUNA: s. Anm. zu 2,385.

FUROR: die Kriegswut, als Kriegsdämon 1,294 personifiziert.

GANYMEDES: ein Sohn des Tros, Mundschenk der Götter; s. Stammbaum S. 182 und Anm. zu 1,28.

GYAS: Troianer in der Begleitung des Aeneas, Teilnehmer am Ruderwettkampf 5,114 ff.

HEBRUS: Hauptfluß Thrakiens, im Rila-Gebirge entspringend, heute: Marica.

HECTOR: Sohn des Priamus und der Hecuba, stärkster Kämpfer der Troianer; wird von Achilles getötet. Er erscheint Aeneas im Traum, s. Anm. zu 2,270.

HECUBA: Gemahlin des Priamus (griech. HEKABE).

HELENA: die von Paris nach Troia entführte Gattin des Spartanerkönigs Menelaus. Sie wird in der *Aeneis* auch als Ledaea = Tochter der Leda, Tyndaris = Tochter des Tyndarus, Lacaena = Spartanerin bezeichnet. Über die umstrittene Helena-Szene s. Anm. zu 2,567.

HESPERIA: Italien, s. Anm. zu 1,205.530.

IDA: das Idagebirge unweit von Troia (nicht mit dem kretischen zu verwechseln); dazu IDAEUS: bei, auf, in dem I.

IDALIA: s. Anm. zu 1,680.

ILIA: Mutter der Zwillinge Romulus und Remus, s. Anm. zu 1,270.

ILIONEUS: Gefährte des Aeneas und während der Irrfahrten Sprecher der Troianer in Abwesenheit des Aeneas.

ILIUM: Troia, benannt nach dem Gründer Ilus, Ahnherr der Priamuslinie des troianischen Königshauses; dazu ILIUS, ILIACUS: troianisch; ILIADES: Frauen von Ilium, Troia.

IOPAS: Sänger am Hof der karthagischen Königin Dido; s. auch Anm. zu 1,740.

IULIUS: Augustus. Zur sog. Iulier-Genealogie, die Augustus mit Aeneas verbindet, vgl. Stammbaum S. 182 und Anm. zu 1,257.276.

IULUS: s. Ascanius.

KARTHAGO: Lage nordöstlich des heutigen Tunis, vermutlich im 9./8. Jh. von Siedlern aus Tyrus, einer bedeutenden Stadt Phöniziens, gegründet; daher »tyrisch« meist ›karthagisch‹. Stadt der Königin Dido, bevorzugter Kultort der Göttin Iuno.

LAOCOON: Troianer, Priester des Apollo (bzw. Neptunus), s. Anm.
zu 2,41.201.

LATIUM: Landschaft zwischen dem Mündungsgebiet des Tiber (mit
Rom) und Campanien, das den Aeneaden für ein neues Troia verheißene Land; dazu LATINUS (Adj.): latinisch, aus bzw. von Latium.

LATONA (griech. LETO): Mutter der Götter Apollo und Diana.

LAVINIUM: Stadt in Latium, sw. von Rom, der Sage nach Gründung
des Aeneas, benannt nach LAVINIA, der Tochter des Königs Latinus und zweiten Frau des Aeneas; dazu noch LAVINIUS (Adj.): la-
vinisch, von Lavinium.

LEDA: Gemahlin des Tyndarus, Mutter der Helena.

LIBYA: L. (Afrika) bezeichnet in der *Aeneis* das Gebiet von Karthago; dazu LIBYCUS: libysch, karthagisch.

MENELAUS: Sohn des Atreus (einer der beiden Atriden): Herrscher
in Sparta, Bruder des Agamemnon, Gemahl der Helena.

MINERVA: (Pallas) Athene.

MYCENAE: Stadt des Königs Agamemnon bei Argos.

MYRMIDONES: Aus dem thessalischen Volksstamm der M. rekrutiert
sich schon bei Homer eine starke Kampftruppe des Achilles.

NEOPTOLEMUS: s. Pyrrhus.

NEREUS: Nereus, eine Meeresgottheit, war älter als Neptunus, aber
in der Götterhierarchie diesem nachgeordnet. Vater der NEREI-
DEN (Meeresnymphen).

OENOTRII (*viri*): Bewohner von Oenotria, dem südöstlichen Teil Italiens. Der Name kann auch ganz Italien bzw. dessen Bewohner
bezeichnen.

ORONTES: ein Lykier; gehört zu den Begleitern des Aeneas.

OTHRYADES: Bezeichnung für den Troianer Panthus, den Sohn des
Othrys.

PALAMEDES: s. Anm. zu 1,82.

PALLAS: Beiname der Athene/Minerva, s. Anm. zu 2,31.162.

PANTHUS: ein Troianer, Apollopriester (s. auch OTHRYADES).

PARCAE: Schicksalsgöttinnen; sie spinnen den Lebensfaden des Menschen, bestimmen damit sein Lebenslos. Dreizahl wie bei den ihnen
z. T. entsprechenden griechischen Moiren, germanischen Nornen.

PARIS: Sohn des Priamus und der Hecuba. Er entführte Helena und
löste damit den Troianischen Krieg aus, tötete Achilles mit einem
(allerdings von Apollo gelenkten) Pfeil. Paris ist Inbegriff des
»weichlichen Phrygers«.

PATAVIUM: heute Padua, s. Anm. zu 1,242.

PELASGI: Die P. sind Griechenlands Urbevölkerung; der Name meint in der *Aeneis* allgemein die Griechen. Im 2. Buch stehen sie mehrfach als Inbegriff von Hinterlist und Gemeinheit (2,83.106.152); dazu PELASGUS (Adj.): pelasgisch, griechisch.

PELIDES: Achilles als Sohn, Pyrrhus/Neoptolemus als Enkel des Peleus.

PENTHESILEA: Tochter des Ares/Mars; Königin der Amazonen; kämpfte auf seiten der Troianer und wurde von Achilles getötet.

PERGAMA: Name der Burg von Troia, steht für Troia allgemein und für die überlebenden Troianer, bezeichnet auch troianische Neugründungen in Epirus und auf Kreta.

PHOEBUS: Beiname des Apollo.

PHOENISSA: bezeichnet die ihrer Abstammung nach phönizische Königin Dido.

PHRYGIA: von den PHRYGES bewohnte Landschaft in der Westhälfte der kleinasiatischen Halbinsel, Teil des Priamus-Reiches; daher PHRYGIUS = phrygisch, troianisch.

POENI: die Punier, Karthager.

POLITES: Sohn des Priamus, der vor den Augen des Vaters von Pyrrhus/Neoptolemus erschlagen wird.

PRIAMUS: Sohn des Laomedon, Herrscher von Troia; dazu PRIAMEIUS: des Priamus; PRIAMIDES: Sohn des Priamus.

PYRRHUS: Sohn des Achilles, später Neoptolemus genannt. Er erhielt nach dem Tod seines Vaters dessen Rüstung von Ulixes und setzte das Morden fort. Bei der Eroberung Troias spielte er eine Hauptrolle: Er ließ sich ins hölzerne Pferd einschließen, tötete mitleidlos den greisen Priamus und reklamierte Andromache als Kriegsbeute; s. auch Anm. zu 2,541.

QUIRINUS: Name des vergöttlichten Stadtgründers Romulus, s. Anm. zu 1,292.

REMUS: Zwillingsbruder des Romulus, s. Anm. zu 1,292.

RHESUS: Thrakerkönig, s. Anm. zu 1,469.

ROMULUS: Sohn des Mars und der Ilia, Gründer Roms, s. Anm. zu 1,276.292.

SARPEDON: König der im sw. Kleinasien wohnenden Lykier, Verbündeter Troias, s. Anm. zu 1,92.

SATURNUS: gleichgesetzt mit griech. Kronos. Wurde von Iuppiter aus dem Olymp vertrieben und begründete in Latium das Goldene Zeitalter; dazu SATURNIUS: des Saturnus, und vor allem SATURNIA, Tochter des Saturnus = Iuno.

SERGESTUS: Troianer, auf den sich später die römische Familie der
    Sergii zurückführte (vgl. 5,121).

SIDON: Tyrus, die Mutterstadt Karthagos, gilt als Kolonie von Si-
    don. Unterschiedslos werden beide Städtenamen zur Bezeichnung
    von karthagischen Personen und Einrichtungen verwendet; SIDO-
    NIUS: von S., karthagisch; besonders SIDONIA: Frau von S., Kar-
    thagerin, Dido; s. auch Anm. zu 1,446.

SIMOIS: Nebenfluß des Skamandros/Xanthus in der Ebene von
    Troia. Symbolische Bedeutung: s. Anm. zu 1,92.

SINON: Die Lügenrede des Griechen S. (s. Anm. zu 2,77), eines Ver-
    wandten des Ulixes, leitet den Untergang Troias ein.

TENEDOS: s. Anm. zu 2,21.

TEUCER: 1. Grieche, Gründer eines neuen Salamis auf Zypern mit
    Unterstützung des Belus, Didos Vater. – 2. Ältester König von
    Troia, Schwiegervater des Dardanus und damit Vorfahr des Ae-
    neas. Nach ihm heißen die Troianer TEUCRI, ihr Land TEUCRIA;
    TEUCRUS (Adj.): troianisch.

THYBRIS: der Fluß Tiber (lat. TIBERIS), so benannt nach einem alt-
    italischen König. Als Ziel der Aeneaden zum ersten Mal genannt
    in Creusas Rede 2,782.

THYMOETES: Bruder und Berater des Priamus, s. Anm. zu 2,32.

TIBERIS: Der T. heißt in der *Aeneis* meist Thybris. Mehrfach findet
    sich TIBERINUS als Name des Flusses und Flußgottes; adjektivisch:
    des Tiber (z. B. 1,13).

TIMAVUS: Fluß in Istrien, s. Anm. zu 1,242.

TRINACRIA: Sizilien, die »dreispitzige« Insel; dazu TRINACRIUS
    (Adj.): siziliens, Sizilien.

TRITON: Meergott, Sohn des Neptunus.

TROIA: Name für die Stadt, das Herrschaftsgebiet des Priamus und
    dessen Bewohner; dazu TROIANUS: Troianer, adjektivisch ebenso
    wie TROIUS: troianisch; ferner TROIUGENA: von Troia stammend.

TROILUS: Sohn des Priamus, s. Anm. zu 1,474.

TYDIDES: Diomedes (s. d.), Sohn des thebanischen Helden Tydeus.

TYNDARIS: Helena (s. d.), Tochter des Spartanerkönigs Tyndarus.

TYRRHENUS: Die Tyrrhener = Etrusker waren während der Kämpfe
    in Latium mit den Troianern verbündet; dazu TYRRHENUS (Adj.):
    tyrrhenisch, etruskisch.

TYRUS: phönizische Hafenstadt, von der aus Karthago (s. d.) gegrün-
    det sein soll; dazu TYRIUS: der Bewohner von T., aber auch der
    Karthager, adjektivisch = karthagisch.

UCALEGON: ein Troianer; s. auch Anm. zu 2,310.

ULIXES: griech. Odysseus; s. Anm. zu 2,7.

VENUS (griech. APHRODITE): die Mutter des Aeneas (s. Stammbaum S. 182) und des Amor/Cupido.

VESTA: schützende Göttin des Herdfeuers, s. Anm. zu 1,292 und 2,296.

VOLCANUS: Der Name des Feuergottes steht oft metonymisch für seinen Funktionsbereich, das Feuer.

XANTHUS: der auf dem Idagebirge entspringende Fluß, von Vergil (nach Hom. Il. 20,74) immer Xanthus genannt. Wie sein Nebenfluß Simois wird der Xanthus symbolhaft verwendet (vgl. 6,86 ff.).

Zeittafel

Zeit	Vergil	Politik Literatur Kunst
15. 10. 70 v. Chr.	Geburt Vergils in Mantua oder Umgebung	
65		Geburt des Horaz
63		Geburt des Augustus Ciceros Konsulat
um 54	Rhetorikstudium Mailand	
ab 53	Studienaufenthalt Rom Philosophiestudien Neapel	
um 50		Geburt des Properz Geburt des Tibull
49–46		Bürgerkrieg
48		Caesars Sieg bei Pharsalus
46–44		Caesars Diktatur
15. 3. 44		Caesars Ermordung
43		Triumvirat Antonius – Octavianus – Lepidus Geburt Ovids

ab 42	*Eklogen*	Landenteignungen Oberitalien
um 40		Laokoon-Gruppe
um 39	Aufnahme in den Kreis des Maecenas	
ab 37	*Georgica*	Horaz im Kreis des Maecenas
um 35		Horaz, *Satiren* I
31		Sieg Octavians bei Actium über Antonius und Kleopatra
30		Horaz, *Epoden* und *Satiren* II (Publikation)
29	*Georgica* abgeschlossen Beginn der Arbeiten an der *Aeneis*	Dreifacher Triumph Octavians
28		Wiederherstellung im Bürgerkrieg zerstörter Tempel Apollotempel auf dem Palatin Properz, *Elegien* I
27		Augustus Princeps Tibull, *Elegien* I
25		Properz, *Elegien* II Pantheon (?)

23		Horaz, *Carmina* I–III Tod des Marcellus
nach 23		Properz, *Elegien* III
ab 20		Ovid, *Amores* (1. Ausgabe)
21. 9. 19	Tod Vergils in Brundisium	
19	Publikation der *Aeneis* durch Varius und Plotius Tucca	Tod des Tibull (?)
17		Säkularfeier des Augustus
9		Weihung der Ara Pacis Augustae
8		Tod des Horaz Tod des Maecenas
2		Augustus Pater Patriae
19. 8. 14 n. Chr.		Tod des Augustus in Nola

Literaturhinweise

1. Vergil: Leben und Gesamtwerk

Büchner, K.: P. Vergilius Maro: Der Dichter der Römer. In: Paulys Realencyclopädie der classischen Altertumswissenschaft. Bd. 8A. Stuttgart 1955. Sp. 1021–1486. [Sonderdruck Stuttgart 1959.]

Commager, S. (Hrsg.): Virgil. A Collection of Critical Essays. Englewood Cliffs (N. J.) 1966.

Della Corte, F. (Hrsg.): Enciclopedia Virgiliana. Bd. 1–5. Rom 1984–91.

Giebel, M.: Vergil. Reinbek bei Hamburg 1986. (rororo-Bildmonographien. 353.)

Glei, R. F.: Der Vater der Dinge. Interpretationen zur politischen, literarischen und kulturellen Dimension des Krieges bei Vergil. Trier 1991.

Grimal, P.: Vergil. Biographie. Zürich/München 1987.

Horsfall, N. (Hrsg.): A Companion to the Study of Virgil. Leiden/Boston/Köln 1995

Klingner, F.: Virgil. Bucolica, Georgica, Aeneis. Zürich/Stuttgart 1967.

Martindale, Ch. (Hrsg.): The Cambridge Companion to Virgil. Cambridge / New York 1997.

Perret, J.: Virgile, l'homme et l'œuvre. Paris ²1965.

Rieks, R.: Vergils Dichtung als Zeugnis und Deutung der römischen Geschichte. In: Aufstieg und Niedergang der römischen Welt. Hrsg. von H. Temporini und W. Haase. Bd. II,31,2. Berlin / New York 1981. S. 728–868.

Rieks, R.: Die Gleichnisse Vergils. In: Aufstieg und Niedergang der römischen Welt. Hrsg. von H. Temporini und W. Haase. Bd. II,32,2. Berlin / New York 1981. S. 1011–1110.

Suerbaum, W.: Vergilius [4] Maro, P. In: Der neue Pauly. Bd. 12/2. Stuttgart/Weimar 2002. Sp. 42–60.

2. Zur *Aeneis* allgemein

Bailey, C.: Religion in Virgil. Oxford 1935.

Barchiesi, A.: Rappresentazioni del dolore e interpretazione nell'Eneide. In: Antike und Abendland 40 (1994) S. 109–124.

Binder, G.: Aeneas und Augustus. Interpretationen zum 8. Buch der *Aeneis*. Meisenheim a. Gl. 1971.
– Aitiologische Erzählung und augusteisches Programm in Vergils *Aeneis*. In: Saeculum Augustum II. Darmstadt 1988. S. 255–287.
Brisson, J. P.: Le ›pieux Enée‹. In: Latomus 31 (1972) S. 379–412.
Buchheit, V.: Vergil über die Sendung Roms. Heidelberg 1963.
– Vergilische Geschichtsdeutung. In: Grazer Beiträge 1 (1973) S. 23–50.
Cairns, F.: Virgil's Augustan Epic. Cambridge 1989.
Camps, W. A.: An Introduction to Virgil's *Aeneid*. Oxford 1969.
Constans, L.-A.: L'Énéide de Virgile. Paris 1930.
Effe, B.: Epische Objektivität und auktoriales Erzählen. Zur Entfaltung emotionaler Subjektivität in Vergils Aeneis. In: Gymnasium 90 (1983) S. 171–186.
Erler, M.: Der Zorn des Helden. Philodems *De ira* und Vergils Konzept des Zorns in der *Aeneis*. In: Grazer Beiträge 18 (1992) S. 103–126.
Erren, M.: Vergils Aeneis: Die Ideologie einer neuen Nation. In: Eirene 30 (1994) S. 51–69.
Garrison, D. H.: The Language of Virgil. An Introduction to the Poetry of the Aeneid. Bern 1984.
Gransden, K. W.: Virgil. The Aeneid. Cambridge 1990.
Grassmann-Fischer, B.: Die Prodigien in Vergils *Aeneis*. München 1966.
Hardie, Ph. R.: Virgil's Aeneid. Cosmos and Imperium. Oxford 1986.
Harrison, E. L.: The Structure of the Aeneid. Observations on the Links between the Books. In: Aufstieg und Niedergang der römischen Welt. Hrsg. von H. Temporini und W. Haase. Bd. II,31,1. Berlin / New York 1980. S. 359–393.
Harrison, S. J. (Hrsg.): Oxford Readings in Vergil's Aeneid. Oxford 1990.
Heil, S.: Spannungen und Ambivalenzen in Vergils Aeneis. Zum Verhältnis von menschlichem Leid und der Erfüllung des *fatum*. Hamburg 2001.
Heinze, R.: Virgils epische Technik. Leipzig/Berlin ³1915. Neudr. Darmstadt 1957 [u. ö.].
Highet, G.: The Speeches in Vergil's Aeneid. Princeton (N. J.) 1972.
Horsfall, N.: Aeneas the Colonist. In: Vergilius 35 (1989) S. 8–27.
– Virgilio: l'epopea in alambicco. Neapel 1991. (Forme, materali e ideologie del mondo antico. 31.)

Hübner, W.: Dirae im römischen Epos. Über das Verhältnis von Vogeldämonen und Prodigien. Hildesheim / New York 1970.

Johnson, W. R.: Darkness Visible. A Study of Vergil's Aeneid. Berkeley / Los Angeles / London 1976.

Knauer, G. N.: Die Aeneis und Homer. Studien zur poetischen Technik Vergils. Göttingen 1964 [²1979].

Knoche, U.: Zur Frage der epischen Beiwörter in Vergils Aeneis. In: Festschrift B. Snell. München 1956. S. 89–100.

Kühn, W.: Götterszenen bei Vergil. Heidelberg 1971.

Lenz, F. W.: The Incomplete Verses in Vergil's Aeneid. In: H. Bardon / R. Verdière (Hrsg.): Vergiliana. Leiden 1971. S. 158–174.

Lieberg, G.: La dea Giunone nell'Eneide di Virgilio. In: Atene e Roma 11 (1966) S. 145–165.

Mackie, Chr. J.: Speech and Narrative. Characterisation Techniques in the Aeneid. Diss. Univ. of Glasgow 1984.

McKay, A. G.: Vergil's Italy. Bath 1971.

Mehmel, F.: Virgil und Apollonius Rhodius. Untersuchungen über die Zeitvorstellung in der antiken epischen Erzählung. Hamburg 1940.

Norden, E.: Vergils Aeneis im Lichte ihrer Zeit. In: Neue Jahrbücher 7 (1901) S. 249–282, 313–324. – Wiederabgedr. in: E. N.: Kleine Schriften zum klassischen Altertum. Hrsg. von B. Kytzler. Berlin 1966. S. 358–421.

Otis, B.: Virgil. A Study in Civilized Poetry. Oxford 1963.

Parry, A.: The Two Voices of Virgil's Aeneid. In: Arion 2 (1963) S. 66–80. – Wiederabgedr. in: Virgil. A Collection of Critical Essays. Hrsg. von S. Commager. Englewood Cliffs (N. J.) 1966. S. 107–123.

Perkell, Chr. G.: Reading Vergil's Aeneid: An Interpretative Guide. Norman 1999.

Pöschl, V.: Die Dichtkunst Virgils. Bild und Symbol in der *Aeneis*. Berlin / New York ³1977.

Pötscher, W.: Vergil und die göttlichen Mächte. Hildesheim 1977.

Powell, A.: The *Aeneid* and the Embarrassments of Augustus. In: A. P.: Roman Poetry and Propaganda in the Age of Augustus. London 1994. S. 141–174.

Putnam, M. C. J.: The Poetry of the Aeneid. Cambridge (Mass.) 1965.

Quinn, K.: Virgil's Aeneid. A Critical Description. London 1968.

Raabe, H.: Plurima mortis imago. Vergleichende Interpretationen zur Bildersprache Vergils. München 1974.

Rieks, R.: Affekte und Strukturen. Pathos als ein Form- und Wirkprinzip von Vergils Aeneis. München 1989.

Stahl, H.-P. (Hrsg.): Vergil's *Aeneid*. Augustan Epic and Political Context. London 1998.

Steiner, H. R.: Der Traum in der Aeneis. Bern/Stuttgart 1952.

Suerbaum, W.: Hundert Jahre Vergil-Forschung: Eine systematische Arbeitsbibliographie mit besonderer Berücksichtigung der *Aeneis*. In: Aufstieg und Niedergang der römischen Welt. Hrsg. von H. Temporini und W. Haase. Bd. II,31,1. Berlin / New York 1980. S. 3–358.

– Vergils Aeneis. Epos zwischen Geschichte und Gegenwart. Stuttgart 1999.

Unte, W.: Die Gestalt Apollos im Handlungsablauf von Vergils Aeneis. In: Gymnasium 101 (1994) S. 204–257.

Williams, R. D.: The Aeneid. London 1987.

Wlosok, A.: Der Held als Ärgernis: Vergils Aeneas. In: Würzburger Jahrbücher N. F. 8 (1982) S. 9–21. – Wiederabgedr. in: A. W.: Res humanae – res divinae. Hrsg. von E. Heck und E. A. Schmidt. Heidelberg 1990. S. 403–418.

– Vergil als Theologe: Iuppiter – *pater omnipotens*. In: Gymnasium 90 (1983) S. 187–202. – Wiederabgedr. in: A. W.: Res humanae – res divinae. Hrsg. von E. Heck und E. A. Schmidt. Heidelberg 1990. S. 368–383.

– Zur Funktion des Helden in Vergils *Aeneis*. In: Klio 67 (1985) S. 216–223.

Worstbrock, F. J.: Elemente einer Poetik der *Aeneis*. Untersuchungen zum Gattungsstil vergilianischer Epik. Münster 1963.

3. *Aeneis*, Buch 1 und 2

Albrecht, M. von: Die Kunst der Vorbereitung im Aeneis-Prooemium. In: Antidosis. Festschrift für Walther Kraus. Wien/Köln/Graz 1972. S. 7–20.

Berres, Th.: Vergil und die Helenaszene. Heidelberg 1992.

Friedrich, W.-H.: Exkurse zur Aeneis. In: Philologus 94 (1940) S. 142–174 [u. a. zur Szene 1,223 ff.].

Galinsky, G. K.: »Troiae qui primus ab oris ...« (Aen. I,1). In: Latomus 28 (1969) S. 3–18. – Dt. Fassung in: Gymnasium 81 (1974) S. 182–200.

Gall, D.: Ipsius umbra Creusae – Creusa und Helena. Stuttgart 1993.

Gottlieb, G.: Religion in the Politics of Augustus (Aen. 1,278–291; 8,714–723; 12,791–842). In: Vergil's *Aeneid*. Augustan Epic and Political Context. Hrsg. von H.-P. Stahl. London 1998. S. 21–36.

Harrison, E. L.: The Aeneid and Carthage. In: T. Woodman / D. West (Hrsg.): Poetry and Politics in the Age of Augustus. Cambridge 1984. S. 95–115.

Kleinknecht, H.: Laokoon. In: Hermes 79 (1944) S. 66–111. – Wiederabgedr. in: Wege zu Vergil. Hrsg. von H. Oppermann. Darmstadt 1961. S. 426–488.

Knox, B. M. W.: The Serpent and the Flame. The Imagery of the Second Book of the Aeneid. In: American Journal of Philology 71 (1950) S. 379–400. – Wiederabgedr. in: S. Commager: Virgil. A Collection of Critical Essays. Englewood Cliffs (N. J.) 1966. S. 124–142.

Kraggerud, E.: Which Julius Caesar? On Aen. 1,286–296. In: Symbolae Osloenses 67 (1992) S. 103–112.

Lessing, G. E.: Laokoon oder über die Grenzen der Malerei und Poesie. Hamburg ²1788.

Little, D. A.: The Song of Iopas: Aeneid 1,740–746. In: Prudentia 24.1 (1992) S. 16–36.

Mannsperger, B.: Das Stadtbild von Troia in Vergils Aeneis. In: Antike Welt 26,6 (1995) S. 463–471.

Manuwald, B.: Improvisi aderunt. Zur Sinon-Szene in Vergils Aeneis (2,57–198). In: Hermes 113 (1985) S. 183–208.

Maurach, G.: Der vergilische und der vatikanische Laokoon. In: Gymnasium 99 (1992) S. 227–247.

Primmer, A.: Juppiters Gerechtigkeit (Dichtung und Philosophie in der Aeneis). In: H. Koskenniemi [u. a.] (Hrsg.): Literatur und Philosophie in der Antike. Turku 1986. S. 81–98.

Rieks, R.: Die Tränen des Helden. In: Silvae. Festschrift für Ernst Zinn. Tübingen 1970. S. 183–198.

Schönberger, O.: Der Sänger beim Gastmahl (Aen. 1,723 f.). In: Rheinisches Museum 136 (1993) S. 298–307.

Thome, G.: Die Begegnung Venus-Aeneas im Wald vor Karthago (Aen. 1,314–417). In: Latomus 45 (1986) S.43–68, 284–310.

Wlosok, A.: Die Göttin Venus in Vergils Aeneis. Heidelberg 1967.

Zintzen, C.: Die Laokoonepisode bei Vergil. Wiesbaden 1979.

4. Kommentare zu *Aeneis*, Buch 1 und 2

Austin, R. G.: P. Vergili Maronis Aeneidos Liber I. Oxford 1971.
– P. Vergili Maronis Aeneidos Liber II. Oxford 1964.
Conington, J.: The Works of Virgil with a Commentary. Bd. 2:
 Aeneis 1–6. Rev. by H. Nettleship. London [4]1884. – Neudr. Hildesheim 1963.
Mackail, J. W.: The Aeneid. Ed. with Introd. and Comm. Oxford 1930.
Perret, J.: Virgile. Énéide. Bd. 1: Livres I–IV. Texte ét. et trad. Paris 1977. [Mit umfangreichen Anmerkungen.]
Williams, R. D.: The *Aeneid* of Virgil. Books 1–6. London 1972.

5. *Aeneis*-Übersetzungen

Ebersbach, V.: Publius Vergilius Maro: Aeneis. Leipzig [2]1987. (Reclams Universal-Bibliothek. 929.) [Deutsche Prosaübertragung.]
Götte, J. / Götte, M.: Vergil: Aeneis. München [3]1971; München/Zürich 1983. (Sammlung Tusculum.) [Deutsche Hexameter-Übertragung.]
Perret, J.: Virgile. Enéide Tom. I–III. Paris 1977–83. (Collection Budé.) [Französische Prosaübertragung.]
Staiger, E.: Vergil: Aeneis. Zürich/München 1981. (Bibliothek der Alten Welt.) [Deutsche Hexameter-Übertragung.]
Voss, J. H. / Güthling, O.: Aeneide. Übers. von J. H. Voss. 2. Aufl. neu hrsg. von O. Güthling. Leipzig [1926]. (Reclams Universal-Bibliothek. 221/224.) [Literarisch bedeutende deutsche Hexameter-Übertragung von 1797.]

6. Aeneassage

Alföldi, A.: Die trojanischen Urahnen der Römer. Rektoratsprogramm Basel 1957.
Binder, G.: Äneas. In: Enzyklopädie des Märchens. Bd. 1. Berlin / New York 1975. Sp. 508–528.
– Vom Mythos zur Ideologie. Rom und seine Geschichte vor und bei Vergil. In: Mythos. Bochumer Altertumswissenschaftliches Colloquium BAC 2. Trier 1990. S. 137–161.

Binder, G.: Der brauchbare Held: Aeneas. Stationen der Funktionalisierung eines Ursprungsmythos. In: Wolfenbütteler Forschungen. Bd. 75. Wiesbaden 1997. S. 311–330.

Bömer, F.: Rom und Troia. Untersuchungen zur Frühgeschichte Roms. Baden-Baden 1951.

Fuchs, W.: Die Bildgeschichte der Flucht des Aeneas. In: Aufstieg und Niedergang der römischen Welt. Hrsg. von H. Temporini und W. Haase. Bd. I,4. Berlin / New York 1973. S. 615–632. Tafelband 47–58.

Galinsky, G. K.: Aeneas, Sicily and Rome. Princeton 1969.

Heckel, H.: Aineias. In: Der Neue Pauly. Hrsg. von H. Cancik und H. Schneider. Bd. 1. Stuttgart 1996. Sp. 329–332.

Hölscher, T.: Mythen als Exempel der Geschichte. In: Mythos in mythenloser Gesellschaft. Das Paradigma Roms. Hrsg. von F. Graf. Stuttgart/Leipzig 1993. S. 67–87.

Schauenburg, K.: Aeneas und Rom. In: Gymnasium 67 (1960) S. 176–191.

Schur, W.: Die Aeneassage in der späteren römischen Literatur. Diss. Straßburg 1914.

Schwegler, A.: Römische Geschichte. Tl. I,1. Tübingen 1853. ²1867. S. 279–336.

Suerbaum, W.: Aeneas zwischen Troja und Rom. Zur Funktion der Genealogie und der Ethnographie in Vergils Aeneis. In: Poetica 1 (1967) S. 176–204.

Weber, E.: Die trojanische Abstammung der Römer als politisches Argument. In: Wiener Studien N. F. 6 (1972) S. 213–225.

Zu den Illustrationen

Die Holzschnitte aus Sebastian Brants Straßburger Vergil-Ausgabe
von 1502 wurden zuletzt abgedruckt in:

> Vergil. Aeneis. Übersetzt von Johannes Götte. Mit 136 Holz-
> schnitten der 1502 in Straßburg erschienenen Ausgabe, heraus-
> gegeben und kommentiert von Manfred Lemmer. Leipzig 1979.

Im Nachwort des Bandes erfahren die Holzschnitte unbekannter
Meister eine ausführliche kunsthistorische, ästhetische und die Ver-
bindung zum antiken Text reflektierende Würdigung (S. 360–368;
Einzelbeschreibungen S. 369–384). Die folgenden Bemerkungen
stützen sich auf Lemmers Ausführungen.
Johann Grüninger, seit 1483 in Straßburg tätig, verlegte auch eine
größere Zahl von Ausgaben antiker Autoren; diese wurden seit der
Jahrhundertwende von dem oberrheinischen Humanisten Sebastian
Brant betreut, der als Verfasser der Moralsatire *Das Narrenschiff*
(Basel 1494) berühmt wurde. Schon die Ausgabe der Satire war reich
mit Holzschnitten illustriert, die Albrecht Dürer zugeschrieben werden und vom Autor als Hilfe zum Verstehen des Textes verstanden
wurden. In dieser Zielsetzung, die bis zu der Hoffnung reichte, auch
»Ungelehrte«, der lateinischen Sprache Unkundige könnten sich mit
Hilfe von Illustrationen ein römisches Original inhaltlich aneignen,
traf sich Brant mit seinem Drucker und Verleger Grüninger, der das
illustrierte Buch in Straßburg einführte und mit der Vergil-Ausgabe
von 1502 »one of the most wonderful illustrated books ever produ-
ced«, »one of the most important books printed in the early six-
teenth century« publizierte (Lemmer, S. 363, nach G. R. Redgrave
und Th. K. Rabb).
Zweifellos hat der Herausgeber Brant, der Gelehrte, das Entstehen
der Holzschnitte, deren Schöpfer den *Aeneis*-Text vielleicht nicht
einmal verstehen konnten, begleitet und die Darstellungen in zahlreichen Details beeinflußt. Daß das Ergebnis gleichwohl ein Spiegel-
bild der Welt des Spätmittelalters war – mit Göttern in barbarischer
Nacktheit, dem Türkenfeind angeglichenen Troianern, Fachwerk-
häusern und Kirchtürmen mit Glocken, Rittertafeln, Landsknechts-
waffen, ja Fahnen mit dem Bundschuh; mit Helden, die wie gute
Christen beten, Schiffen, die an die Karavellen des Kolumbus erinnern, mit einem Augustus, der die Krone des deutschen Kaisers

trägt –, darf nicht verwundern, da die deutschen Frühhumanisten Italien nicht kannten, ein antikes Bauwerk, eine antike Statue kaum je gesehen hatten und somit gänzlich in ihrer heimischen Vorstellungswelt befangen waren.

Da die Holzschnitte als Verstehenshilfen und Lehrbilder gedacht waren, mußte im Einzelbild möglichst viel Inhalt umgesetzt werden: Häufig werden mehrere Szenen der epischen Handlung in ein Bild verdichtet.

»Grüningers Vergil war nicht nur die erste, sondern für lange Zeit auch die aufwendigste illustrierte Ausgabe der Werke des römischen Dichters in Deutschland« (Lemmer, S. 367).

Die einzelnen Bilder:

Abkürzungen: l. = links, r. = rechts, o. = oben, u. = unten, M. = Mitte, v. = vorn, h. = hinten.

Zu 1,12–28 (S. 8): Der Dichter Vergil l. am gotischen Schreibpult, vor ihm die (im Proömium 1,8 angerufene) Muse. Karthago h. mit den für das Schicksal der Stadt verantwortlichen Parzen. Iuppiter r., über ihm der geraubte Ganymedes, l. Hebe, dessen Vorgängerin als Mundschenk der Götter. Das Paris-Urteil v. r.

Zu 1,50–156 (S. 9): Iuno veranlaßt Aeolus, die Winde aus der Höhle zu lassen, um die Flotte des Aeneas zu vernichten, o. r. und l. Die Schiffe geraten in Seenot u. M., Neptunus M. l. beruhigt das Meer.

Zu 1,157–222 (S. 24): Die aus dem Sturm geretteten Schiffe liegen in einer Bucht an Libyens Küste vor Anker; sie werden entladen; v. Vorbereitung eines Mahles, h. r. die Kundschafter Aeneas und Achates: Aeneas erlegt sieben Hirsche.

Zu 1,227–296 (S. 25): Venus klagt Iuppiter ihre Sorgen über die Zukunft der Aeneaden. Iuppiter bekräftigt die Verheißung des Fatums: h. l. die aktuelle Situation an der Küste Libyens, r. Rom, das neue Troia.

Zu 1,297–401 (S. 36): Mercurius o. l. kommt in Iuppiters Auftrag nach Karthago o. r., um die friedliche Aufnahme der Troianer vorzubereiten. Aeneas M. r. mit seinem Freund Achates trifft seine Mutter Venus (in Gestalt einer Jägerin) u. r. Die von Iuppiters Adler gejagten Schwäne u. l. deutet Venus als günstiges Zeichen für die Troianer.

Zu 1,496–560 (S. 37): Aeneas o. l. sieht, daß verloren geglaubte Gefährten an der Küste Karthagos v. l. gelandet sind. Dido o. r. gibt vor dem Iunotempel »den Männern Rechtsnormen und Gesetze« (1,505–508).

Zu 1,594–630 (S. 56): Die Schiffe der Troianer an der Küste l., die Gesandtschaft mit ihrem Sprecher Ilioneus vor dem Iunotempel M. Aeneas und Achates, aus der Wolke getreten, geben sich r. Dido zu erkennen.

Zu 1,631–694 (S. 57): Dido mit den Troianern beim Mahl. Venus entführt o. l. den jungen Ascanius, der von Achates mit Gastgeschenken zum Palast gebracht werden soll.

Zu 2,1–32 (S. 70): Der Bericht des Aeneas vom Untergang Troias und den Irrfahrten setzt ein mit dem hölzernen Pferd, in dem sich v. l. die Griechen verstecken, nachdem die angeblich abgezogene Flotte hinter der Insel Tenedos h. l. vor Anker gegangen ist. Die Troianer M. verlassen die Stadt, um das Pferd und das Lager der Griechen zu besichtigen.

Zu 2,32–144 (S. 71): Die Troianer streiten darüber, was mit dem Pferd geschehen soll. Laocoon M. r. warnt vor dem Geschenk der Griechen und bohrt mißtrauisch seine Lanze in den Bauch des Pferdes. Der Grieche Sinon wird M. l. vor Priamus gebracht.

Zu 2,154–233 (S. 86): Sinon M. r. hält seine Lügenrede, um die Troianer zu veranlassen, das Pferd in die Stadt zu holen. Laocoon M. l. beim Opfer für Neptunus: Er und seine Söhne werden von den Seeschlangen erwürgt.

Zu 2,234–249 (S. 87): Das Pferd wird unter Trompetenschall in die Stadt geholt, nachdem ein Stück der Stadtmauer eingerissen wurde, und M. r. vor das Bild der Pallas Athene gezogen. Den Warnungen der Cassandra u. r. wird (wie immer) nicht geglaubt. M. l. die Leichen des Laocoon und seiner Söhne.

Zu 2,254–267 (S. 90): Die griechische Flotte ist von Tenedos zurückgekehrt, M. r. Agamemnons Schiff. Die Griechen rennen u. r. gegen das Tor an. In der Stadt haben die u. l. aus dem hölzernen Pferd gekletterten Griechen bereits Feuer gelegt; der Kampf M. hat begonnen, erste Gefallene.

Zu 2,268–297 (S. 91): Dem schlafenden Aeneas erscheint M. r. der tote Hector und fordert ihn zum Verlassen Troias und zur Gründung eines neuen Troia auf. Hector, in priesterlichem Gewand o. l., bringt aus dem Vestaheiligtum kultische Binden und das ewig brennende Herdfeuer.

Zu 2,318–346 (S. 98): Der Apollopriester Panthus M. r. eilt, während die Kämpfe in der brennenden Stadt M. und o. l. andauern, mit den geretteten troischen Heiligtümern auf Aeneas und seine Gefährten v. l. zu.

Zu 2,370–401 (S. 99): Aeneas und seine Gefährten haben sich griechische Waffen und Rüstungen angeeignet; sie treffen v. auf den Griechen Androgeos und seine Leute. Einige Griechen klettern in höchster Not in den Bauch des Pferdes zurück.

Zu 2,402–436 (S. 104): Die Troianer um Aeneas h. l. stürzen sich auf die Griechen, die M. r. Cassandra gefesselt vom Altar des Minervatempels wegschleppen. Zahlreiche Troianer fallen, unter ihnen Coroebus M. v.

Zu 2,437–482 (S. 105): Aeneas und seine Begleiter haben sich zur Burg durchgeschlagen. Von einem Turm M. o. werfen sie Mauerstücke auf die andringenden Griechen, allen voran Pyrrhus, Periphas und Automedon.

Zu 2,486–554 (S. 112): Vor den Augen der Eltern Hecuba und Priamus stirbt M. l. der von Pyrrhus tödlich getroffene Polites. Der greise Priamus dringt M. r. kraftlos mit dem Speer auf Pyrrhus ein; Pyrrhus verhöhnt Priamus und tötet ihn mit dem Schwert M.

Zu 2,567–623 (S. 113): Helena, die an allem Unglück schuld ist, hat sich zum Vestatempel gerettet h. r. Aeneas will sie töten, wird aber von seiner Mutter Venus zurückgehalten M. h. Die Troia feindlichen Gottheiten greifen ein: Neptunus v. l., Iuno am Skäischen Tor v. r., Pallas (Minerva) o. r., die Hand Gottes (Iuppiter) o. l.

Zu 2,673–698 (S. 126): Polites u. l. und Priamus M. l. sind getötet. Aeneas und seine Familie haben überlebt: Creusa hält Aeneas v. r. vom erneuten Eingreifen in den Kampf ab. Das Flammenzeichen am Haupt des Ascanius v. r. wird von Iuppiter durch das Erscheinen eines Sterns o. r. bestätigt, so daß auch Anchises v. r. in die Flucht einwilligt.

Zu 2,707–729 (S. 127): Aeneas mit seiner Familie auf der Flucht aus dem brennenden Troia: Die berühmte Gruppe M., Creusa r. bereits mit Abstand.

Zu 2,730–794 (S. 136): Aeneas M. v. kehrt zur Stadt zurück, um die fehlende Creusa zu suchen. Anchises und die anderen M. l. bleiben am Stadtrand zurück. Ulixes und Phoenix bewachen vor dem Iunotempel o. r. die Beutestücke der Griechen. Das Schattenbild der Creusa M. erscheint Aeneas und weist ihm den Weg in die Irrfahrten und zum verheißenen Land Italien.

Römische Literatur

IN RECLAMS UNIVERSAL-BIBLIOTHEK

Geschichtsschreibung

Augustus, *Res gestae / Tatenbericht.* Lat./griech./dt. 88 S. UB 9773

Caesar, *De bello Gallico / Der Gallische Krieg.* Lat./dt. 648 S. UB 9960 – *Der Bürgerkrieg.* 216 S. UB 1090 – *Der Gallische Krieg.* 363 S. UB 1012

Eugippius: *Vita Sancti Severini / Das Leben des heiligen Severin.* Lat./dt. 157 S. UB 8285

Livius, *Ab urbe condita. Römische Geschichte. 1. Buch.* Lat./dt. 240 S. UB 2031 – *2. Buch.* Lat./dt. 237 S. UB 2032 – *3. Buch.* Lat./dt. 263 S. UB 2033 – *4. Buch.* Lat./dt. 235 S. UB 2034 – *5. Buch.* Lat./dt. 229 S. UB 2035 – *21. Buch.* Lat./dt. 232 S. UB 18011 – *22. Buch.* Lat./dt. 256 S. UB 18012 – *23. Buch.* Lat./dt. 223 S. UB 18013 – *24. Buch.* Lat./dt. 208 S. UB 18014

Nepos, Cornelius, *De viris illustribus / Biographien berühmter Männer.* Lat./dt. 456 S. UB 995

Sallust, *Bellum Iugurthinum / Der Krieg mit Jugurtha.* Lat./dt. 222 S. UB 948 – *De coniuratione Catilinae / Die Verschwörung des Catilina.* Lat./dt. 119 S. UB 9428 – *Historiae / Zeitgeschichte.* Lat./dt. 88 S. UB 9796 – *Die Verschwörung des Catilina.* 79 S. UB 889 – *Zwei politische Briefe an Caesar.* Lat./dt. 95 S. UB 7436

Sueton, *Augustus.* Lat./dt. 200 S. UB 6693 – *Caesar.* Lat./dt. 191 S. UB 6695 – *Nero.* Lat./dt. 151 S. UB 6692 – *Vespasian, Titus, Domitian.* Lat./dt. 136 S. UB 6694

Tacitus, *Agricola.* Lat./dt. 150 S. UB 836 – *Annalen I–VI.* 320 S. UB 2457 – *Annalen XI–XVI.* 320 S. UB 2458 – *Germania.* 80 S. UB 726 – *Germania.* Lat./dt. 112 S. UB 9391 – *Historien.* Lat./dt. 816 S. 8 Abb. u. 6 Ktn. UB 2721

Velleius Paterculus, *Historia Romana / Römische Geschichte.* Lat./dt. 376 S. UB 8566

Philipp Reclam jun. Stuttgart

Römische Literatur

IN RECLAMS UNIVERSAL-BIBLIOTHEK

Cicero

Philipp Reclam jun. Stuttgart